D0756059

L'OISEAU DE PASSAGE

L'OISEAU DE PASSAGE

DU MEME AUTEUR

A la librairie Jules Tallandier

Bonheur défendu.
La Valse des Secrets.
Ardente Victoire.
Au bout de sa peine.
La voyageuse solitaire.
Le voyageur sans nom.
L'Amour a ton visage.
Le Plus Beau Jour.
La Rage au Cœur.
Le Secret du lys rouge.
Qu'importe à l'amour.
Piège pour Juliette.
Comme un oiseau blessé.
Le portrait vénitien.
L'ombre de Bella.
La Maison du Gave.
Un ange en enfer.

Le chemin de mensonges.
Un étranger sur la colline.
Le printemps des Mirages.
Le Manoir des Tourments.
Le masque du destin.
Le collier du Prince.
Romance en Deux Temps.
Ginevra du Haut-Château.
Le Buisson de feu.
Voyage de Noces.
Le prince des montagnes.
Belle Ombre.
La sirène d'Aston Castle.
La nuit du rossignol.
Le cavalier du soir.
Val dormant.
La Mariée du Château Noir.

L'Autre rivale.

Dans la collection « 4 couleurs » :

La Porte d'ébène.

Dans la collection « Floralies » :

L'Homme des ajoncs.
Par des sentiers perdus.
Le château de l'imposture.
L'appel du passé.
Danger d'amour.
Domaine interdit.
Quand le cœur s'égare.
La croix des loups.
Chacune son secret.
Aubépine.
Le chevalier d'espérance.
Une étoile dans la brume.

Le miroir d'argent.
Bois-sauvage.
Quand souffle le vent.
La robe de mariée.
La Tour écroulée.
L'Ange des ruines.
Le Maître de Floreya.
La Rose et l'épée.
Un seul baiser.
Au risque d'aimer.
Cet amour d'un soir.
L'Homme sans passé.

CLAUDE VIRMONNE

L'OISEAU
DE PASSAGE

TALLANDIER
LE CERCLE ROMANESQUE

CHAPITRE PREMIER

La lune en son plein baignait le paysage de lumière bleue et coiffait d'azur l'élégante construction au toit d'ardoise, aux fenêtres à meneaux, dessinée sur le ciel comme ce château des contes, toujours entrevu, jamais atteint, que cherche le voyageur égaré. La demeure s'appelait « La Roselière ». Deux lions de pierre, à la crinière bouclée, à l'air pacifique, placés de chaque côté de la grille en gardaient l'entrée.

L'été déclinait. Bientôt les tempêtes d'équinoxe briseraient les branches, arracheraient les feuilles aux arbres et les ardoises aux toits ; le ciel du Val de Loire se couvrirait de nuages annonciateurs de pluie, mais cette dernière nuit de l'été était exceptionnellement douce. D'innombrables étoiles scintillaient dans le firmament ; parfois l'une d'elles filait, comme un message d'un autre monde. L'air tiède et léger mêlait le parfum mélancolique des roses vite effeuillées de septembre à l'odeur amère des buis.

C'était une nuit magique, une nuit où tout peut arriver, où l'on ne se fût pas étonné de voir les statues verdissant dans les bosquets descendre de leurs socles pour gambader sur les pelouses ; de voir surgir des charmilles

ayant abrité leurs amours, chevaliers et nobles dames
pour danser le menuet ou la pavane au son d'invisibles
violes. Une nuit faite pour l'amour, le mystère, le drame.

... Une nuit où l'on évoque ceux que l'on croit à
jamais perdus.

* * *

Dans une pièce du rez-de-chaussée de la demeure —
une sorte de petit salon où mille indices laissaient deviner
qu'on s'y tenait souvent — deux femmes devisaient pensivement devant la cheminée dans laquelle brûlait le premier feu de l'année. L'une d'elles semblait très âgée.
Sous ses cheveux de neige apparaissait une douce figure
d'aïeule fanée par les ans et qui se souvenait d'avoir été
charmante. Elle s'appelait Mme Bréval, La Roselière lui
appartenait.

L'autre femme était sa petite-fille Séverine. Des cheveux bruns et soyeux, coiffés sans prétention, mais où
s'éveillait parfois un reflet fauve, encadraient de leurs
vagues souples un visage aux traits fins qu'illuminaient
des yeux de velours sombre.

Sur la tablette de la cheminée surmontée d'une glace à
trumeau, une pendulette de Saxe égrenait les minutes et,
devant le feu, un gros chat tigré dormait. On l'avait bap-
tisé Vaurien à cause d'une tendance au chapardage que,
du reste, on lui pardonnait après maintes remontrances
dont il ne tenait aucun compte.

L'éclairage bien agencé, les flammes qui dansaient
dans l'âtre et même la présence de l'animal familier
créaient une atmosphère d'intimité qui prédisposait à
l'évocation des souvenirs.

L'OISEAU DE PASSAGE

— Dire que cela fait déjà six ans qu'Olivier est parti ! murmura soudain l'aïeule.

Elle parlait sur ce ton plaintif qu'adoptent beaucoup de personnes âgées.

— Oui, six ans, répéta Séverine, en écho. J'en avais seize.

— Et nous restons sans autres nouvelles que cette carte incohérente qu'il nous a adressée de Bangkok. Je me demande ce qu'il est devenu, si nous le reverrons un jour. Et même s'il vit encore ! Cela, hélas, me paraît de plus en plus improbable.

Sa voix fléchit, elle étouffa un sanglot. Après être restée quelques instants sans parler, elle reprit :

— J'ai des remords, Séverine ! Je me dis que, d'abord, je n'ai pas su élever Olivier, confié à mes soins alors qu'il avait dix ans. Ensuite, que je n'ai pas su le conseiller, le réconforter comme il l'aurait fallu au moment de ce drame affreux. Tu te souviens, quand il fut accusé du meurtre d'Emile Rouvier, le mari de sa maîtresse.

— L'accusation n'a pas tenu, c'était l'essentiel, grand-mère !

— Oui, bien sûr ! Mais Olivier en a été profondément marqué. Il est devenu encore plus révolté, plus rebelle et n'a pas voulu rester dans le pays, parmi ceux qui l'avaient diffamé. Sans rien vouloir entendre, il est parti courir l'aventure dans une de ces régions d'Extrême-Orient où la guerre s'est si longtemps poursuivie. Et d'où il n'est pas revenu ...

Du bout du doigt, l'aïeule écrasa une larme au coin de ses yeux avant de poursuivre :

— Tu comprends, Séverine, la fille de ma sœur me

l'avait confié avant de mourir, pour que je l'élève en même temps que toi, ma petite fille. Toi dont les parents venaient de disparaître dans un accident d'avion … Dieu m'est témoin que j'ai aimé Olivier autant que s'il eût été mon petit-fils, autant que toi-même ! D'ailleurs, il m'appelait grand-mère, mais je m'aperçus très vite que l'élever ne serait pas une tâche de tout repos ! Toi, tu étais une petite fille sage, tranquille, qui ne m'a jamais posé de problèmes. Maintenant que te voilà fiancée à François Lomond, je suis sans souci pour ton avenir ! Solide, équilibré, François sera pour toi le soutien, l'appui moral dont tu as besoin. Je crois que j'ai bien fait de t'engager à l'accepter. Tu seras heureuse près de lui.

Séverine battit des paupières mais, sans s'en apercevoir, Mme Bréval poursuivit :

— Olivier, en revanche, a été un enfant difficile, un adolescent tourmenté, traumatisé, peut-être, par sa naissance irrégulière. Sa mère, comme tu le sais, n'était pas mariée. Alors, sans doute, souffrait-il d'être ce qu'on nomme encore par ici « l'enfant du péché », et de s'appeler Dormeuil, comme sa mère. Par orgueil, par défi, il se montrait insupportable, rebelle à toute discipline. Bien qu'intelligent, il fit des études déplorables et fut renvoyé de plusieurs écoles quand, à sa majorité, il entra en possession d'une assez belle fortune léguée néanmoins par son père, cela n'arrangea rien, au contraire ! Cet argent lui permit de se livrer à toutes les folies qui lui passaient par la tête. Te souviens-tu qu'il acheta des autos et des motos de compétition avec lesquelles il s'amusait à effrayer les passants ? D'ailleurs, tout lui était bon pour choquer, pour scandaliser … Il se plaisait à émettre des opinions subversives, à fréquenter les jeunes gens les plus tapageurs de la région. Ce qui ne l'empêchait pas de séduire les filles ! Les femmes aiment les mauvais sujets, c'est connu, surtout lorsqu'ils sont beaux garçons comme l'était Olivier. A toutes il préférait cette Arlène Rouvier, l'épouse d'un représentant de commerce. Et le pire est venu de leur liaison.

Mme Bréval fit une pause.

— Naturellement, à cette époque, tu n'avais que quinze ans, tu étais trop jeune pour comprendre cela, ma petite.

Un sourire mélancolique détendit les lèvres de la jeune fille.

— Oh ! si, grand-mère, dit-elle. Je me rendais parfaitement compte de ce qui se passait.

Parce qu'elle traversait alors l'âge ingrat, adolescente maigre, toute en bras et en jambes, portait un appareil pour redresser les dents et se coiffait à la diable, on ne s'imaginait pas qu'un cœur de femme pût battre dans sa poitrine trop plate. Trop occupé par d'autres soucis, l'aïeule n'avait jamais soupçonné que sa petite-fille, si douce et si docile, aimait Olivier d'amour, qu'elle était terriblement jalouse des autres filles et plus encore de la triomphante Arlène.

— Lors du crime, reprit Mme Bréval, étant donné la mauvaise réputation d'Olivier et sa liaison avec Arlène, les soupçons se portèrent naturellement sur lui. Moi-même, Dieu me pardonne, je ne fus pas loin de le croire coupable !

Elle frissonna, resserra autour d'elle son cardigan de laine grise.

— Il fait froid, ce soir, ne trouves-tu pas ? Ce sera bientôt l'automne. Remets une bûche, veux-tu, mon enfant ?

Docile, la jeune fille obéit, disposa dans le foyer la

branche d'un vieux pommier qui achevait ainsi sa vie d'arbre. Les flammes pétillèrent. Dérangé un instant, le chat Vaurien reprit sa place.

La vieille dame poursuivait :

— Comme les souvenirs, parfois, nous prennent à la gorge au point de faire oublier le temps écoulé ! Il me semble que tout cela est arrivé, non pas il y a six ans, mais hier, et qu'Olivier va entrer d'un instant à l'autre, avec son visage insolent sous ses cheveux blonds aux mèches rebelles ... Avec ses yeux brillants ... Avec son sourire qui, toujours, se moquait !

Ainsi que sa grand-mère, Séverine, en fixant le feu, revoyait le grand garçon à la belle tête fière, à l'attitude pleine de défi, orgueil qui cachait peut-être une vulnérabilité secrète. Olivier ... son amour de petite fille, son premier amour, le seul amour qu'en réalité elle eût jamais eu ! Son cœur se gonflait encore de peine et de regret.

L'aïeule continuait :

— Maintenant je m'interroge, je me demande si j'ai agi comme je le devais, si mon comportement avec Olivier a été celui qu'il fallait ... Vois-tu, Séverine, il est difficile de faire son devoir. Un homme aurait sans doute mieux su comprendre Olivier, discipliner son caractère, calmer ses révoltes ... Mais mon mari était mort et je me trouvais seule, sans conseil ni appui, face à des responsabilités qui m'écrasaient.

Douce et timorée, élevée à la manière dont on élevait autrefois les femmes de son milieu, ni sa nature ni son mode de vie antérieur ne l'avaient préparée à affronter la dure tâche d'élever un adolescent ombrageux et rétif. Le destin se plaît souvent à charger les êtres fragiles de fardeaux trop lourds pour eux. Après une courte interruption, Mme Bréval reprit en hochant la tête :

— Pour faire d'Olivier le jeune homme dont j'aurais pu être fière, l'inciter à se chercher une situation honorable plutôt que de passer son temps à écrire des articles fumeux qui paraissaient dans des revues abstraites, aux tirages confidentiels, je lui faisais des sermons, de la morale ... Il y répondait par des sarcasmes puis il m'embrassait et s'enfuyait en riant ...

A nouveau, elle s'interrompit avant de dire pensivement :

— Parler aide à voir clair. Aujourd'hui, je me dis que plutôt que de l'accabler de reproches, il eût mieux valu essayer de pénétrer dans son cœur et son esprit, de se mettre à sa place d'enfant sans père ... Enfermée dans mes préjugés bourgeois, je voyais seulement que sa conduite déconsidérait la famille.

La vieille dame prit dans la poche de son cardigan un mouchoir parfumé d'une discrète odeur de violette, s'en tamponna les narines.

— Je ne cherchais pas les raisons de cette révolte intérieure qui le poussait à refuser l'ordre, à braver l'opinion ... Quand il fut soupçonné, inculpé même après le meurtre du mari d'Arlène, je ne vis, dans ce drame d'un innocent accusé à tort, qu'une histoire sordide et gênante !

Elle garda contre sa bouche le petit mouchoir et sa voix en fut assourdie quand elle poursuivit :

— Heureusement qu'un alibi indiscutable vint prouver qu'Olivier n'avait pas pu commettre le crime dont on l'accusait !

— Oui ... Il fut libéré mais l'on n'a jamais découvert le coupable, murmura Séverine.

— Non. Des vagabonds furent arrêtés, relâchés. Après six ans, le mystère demeure. Pour en revenir à Olivier, je pensais que cette épreuve due à sa mauvaise réputation l'aurait assagi, rendu plus raisonnable. Il n'en fut rien, au contraire ! Il se montra plus amer, plus révolté encore contre la société et plein de rancune envers ceux qui avaient contribué à le faire accuser. Il infligea même à quelques-uns de sévères corrections qui faillirent le faire retourner en prison. Dégoûté du pays, devenu misanthrope, c'est alors qu'il a voulu quitter la France, partir pour l'Extrême-Orient où il espérait trouver une vie libre, à sa convenance, la nouveauté, l'aventure … Malgré mes efforts, je ne suis pas arrivée à l'en dissuader.

Mme Bréval triturait son mouchoir de ses mains fluettes et ridées. Accordée aux tons passés des bergères, aux rideaux fanés, l'odeur de violette imprégna la pièce. Devant le feu le chat insouciant s'étira. L'aïeule continuait à s'accuser :

— A ce moment-là non plus, je n'ai pas été à la hauteur de ma tâche, pas su trouver les arguments susceptibles de le faire renoncer à son projet. J'invoquai les convenances, le mauvais effet que produirait son départ, le danger de ces pays lointains. Ce n'était pas cela qu'il fallait dire !

— Nul ne pouvait retenir Olivier, grand-mère, murmura Séverine. J'ai moi-même essayé en vain.

Mais quelle influence pouvait avoir sur le garçon rebelle, avide d'une existence différente, la gamine sans grâce qu'elle était alors !

Sans l'entendre, Mme Bréval ajoutait :

— Quand il est parti, je me le rappelle, il sifflait « Le Pont de la rivière Kwaï » ! Et comme d'ordinaire, il avait sur son visage cet air d'audace et de défi de ceux qui n'ont pas trouvé leur place en ce monde. C'est ainsi que je le reverrai toujours. Et ...

Séverine posa la main sur le bras de la vieille dame. Avec douceur et pitié, elle l'interrompit :

— Grand-mère chérie ... cesse de te torturer ainsi. Tu n'as pas à avoir de remords. Il n'y avait rien à faire pour retenir Olivier. De toute façon, il serait parti.

— Peut-être, soupira la vieille dame. Je ne peux m'ôter de l'esprit que si j'avais su mieux le comprendre, je l'aurais peut-être gardé près de moi. Maintenant, il y a six ans qu'il est parti ! Il avait alors vingt-deux ans, il en aurait vingt-huit aujourd'hui, s'il n'a pas trouvé la mort dans ces contrées perdues ... Mais vit-il toujours ? Il serait vain de l'espérer. Pourtant, j'ai peine à me l'imaginer immobile à jamais, lui qui était la vie même !

Séverine approuva, songeuse. Elle parvenait mal, elle aussi, à se représenter inerte cet être d'ardeur et de flamme. Il y eut quelques instants de silence durant lesquels le tic-tac de la pendule, le chuchotement des flammes prirent plus d'importance. Puis, d'un ton de prière, Mme Bréval demanda :

— Séverine, veux-tu aller me chercher la carte qu'Olivier nous a adressée de Bangkok, l'unique que nous ayons reçue de lui, hélas !

La jeune fille se leva, marcha vers un petit secrétaire qui occupait un angle de la pièce et prit dans un de ses tiroirs une carte postale qu'elle remit à l'aïeule. L'illustration représentait un temple aux toits retroussés, à l'architecture compliquée ; ses vives couleurs avaient résisté au temps alors que l'encre de la suscription en était pâlie. Quand elle l'eut en main, Mme Bréval ajusta ses lunettes et lut tout haut un texte déjà maintes fois répété :

« Voyage excellent. Ce pays est magnifique, ses habi-« tants accueillants. Et il m'est arrivé une histoire fantas-« tique, incroyable ! La vie est réellement pleine de coïn-« cidences ahurissantes. Il a fallu que je vienne à « Bangkok pour rencontrer quelqu'un dont je n'aurais « pu connaître ni même soupçonner l'existence. Mais le « courrier va partir et je n'ai pas, aujourd'hui, le temps « de vous parler de Julian. Ce sera pour une autre fois. « Je vous embrasse. A bientôt. »

Mme Bréval remit la carte dans son enveloppe et soupira :

— Quelle incohérence dans ces lignes ! Tout à fait dans la manière d'Olivier, du reste. Aucune lettre ensuite n'est arrivée. Nous ignorerons donc toujours de quelle coïncidence il voulait parler et qui était ce Julian auquel il faisait allusion.

Les mots tracés par le disparu garderaient leur mystère. Les deux femmes, à présent, se taisaient, chacune plongée dans des pensées qui, toutes, convergeaient vers la même personne.

Dans la cheminée, une bûche se rompit avec un jaillissement d'étincelles ; Séverine se pencha pour rapprocher les tisons puis, se relevant, fronça les sourcils.

— Qu'y a-t-il ? s'enquit l'aïeule.

— On dirait que quelqu'un marche sur le gravier ...

— Je ne vois personne susceptible de nous rendre visite à pareille heure. François seul pourrait se le permettre et il est trop bien élevé pour cela !

Pourtant, il semblait bien que des pas se rapprochaient. Le chat, inquiet, dressa les oreilles.

— Un vagabond peut-être ? Aurélie aurait oublié de

fermer la grille ? Elle devient étourdie depuis quelque temps. Il est vrai qu'elle se fait vieille, elle aussi.

Aurélie était l'unique domestique de La Roselière avec un vieux jardinier nommé Hector qui venait trois fois par semaine et qu'il fallait laisser travailler à sa guise, semant, sarclant, taillant selon des méthodes, parfois très bizarres. Il condescendait à se charger de certains travaux de bricolage.

Quant à Aurélie, contemporaine de Mme Bréval, elle vouait à celle-ci un dévouement revêche, et tout en gémissant sur l'excès de travail qui lui incombait, jetait les hauts cris lorsqu'on parlait de lui adjoindre une aide. Elle se couchait tôt, dans une chambre qu'elle s'était aménagée près de la cuisine et qui constituait son domaine.

— La petite porte du parc n'est jamais fermée, rappela Séverine.

— Seuls les familiers le savent, objecta Mme Bréval.

A cet instant, trois coups furent lentement frappés à la porte d'entrée donnant sur le hall proche du petit salon où se tenaient les deux femmes. Celles-ci se regardaient, hésitantes. Alors les coups retentirent à nouveau, insistants, prolongés comme pour atteindre chaque recoin de la grande demeure.

Ce fut un instant étrange dont Séverine devait garder le souvenir. On eût dit qu'après le bruit des coups, il s'était fait dans le salon un silence total, que le feu se taisait, que la pendule de la cheminée elle-même cessait de compter les minutes.

— Qui est là ? demanda Séverine.

— Devinez ! répondit une voix au timbre railleur.

Mme Bréval se leva, porta une main à son cœur.

— Mon Dieu !

Séverine restait comme pétrifiée. Puis, d'un bond, elle s'élança vers la porte, tira le verrou. Un homme s'encadrait dans le chambranle. Il était grand, mince, avec de larges épaules, un beau visage buriné sous une toison de cheveux grisonnants. Son sourire semblait se moquer.

— Olivier ! murmura la jeune fille, le souffle coupé.

Et l'aïeule, en écho, répéta :

— Olivier …

CHAPITRE II

Attisé par l'air venu du dehors, le feu s'était remis à crépiter avec rage.

— Bonsoir ! lança l'arrivant. Vous ne m'attendiez pas, à ce qu'il paraît. Peut-être même m'aviez-vous oublié ?

Il y eut un moment d'incertitude ; les deux femmes se taisaient, comme si l'apparition de celui dont elles venaient d'évoquer le souvenir, était irréelle.

— Entre, dit enfin Séverine. Ne reste pas là.

Lentement, il s'avança et l'on vit mieux combien il était maigre. Il tenait à la main une mallette d'avion.

— Mon Dieu ! répétait Mme Bréval.

Dans son émotion, elle ne trouvait rien d'autre à dire. Elle s'était levée et s'approchait de l'arrivant d'un pas d'automate.

— C'est toi ! C'est bien toi !

Des larmes coulaient sur ses joues sans qu'elle fît un geste pour les essuyer.

— Tu es revenu ! Après si longtemps, je ne pensais plus te revoir en ce monde, mon petit !

Le jeune homme prit entre les siennes les mains fripées

de l'aïeule, les baisa l'une après l'autre. Lui aussi paraissait profondément ému.

— Ne pleure pas grand-mère, dit-il. Je ne voudrais pas que mon retour te fasse pleurer.

— C'est … la surprise, bégaya la vieille dame.

— Calme-toi, grand-mère, dit Séverine. Tu vas te rendre malade.

Elle-même se reprenait peu à peu. Elle aida l'aïeule à se réinstaller dans le fauteuil qu'elle occupait l'instant d'avant, indiqua un siège au nouveau venu.

— Assieds-toi. Tu aurais dû prévenir …

Posant sa mallette près de lui, il prit place sur un siège et reconnut d'un ton contrit :

— Oui, j'aurais dû vous avertir de mon retour. A vrai dire, je n'y ai pas pensé. Il me semblait surtout urgent d'arriver.

Séverine observait son cousin avec avidité. Elle retrouvait le visage aux traits réguliers qui, précocement marqués, accusaient plus que vingt-huit ans mais gardaient leur indéniable séduction. Quelque chose de bizarre s'agita en elle que ni sa raison ni son intelligence ne comprenaient. Ce ne fut que beaucoup plus tard qu'elle s'expliqua cette impression.

Le jeune homme reprenait :

— C'est bon de vous revoir, d'être là ! Vous paraissez être en forme, toutes les deux !

— Séverine l'est, bien sûr, c'est de son âge. Moi, je vieillis, j'ai des rhumatismes. Mais parlons de toi, ordonna Mme Bréval.

Elle examina son petit-fils et observa :

— Comme tu as maigri !

Olivier sourit et se mit à raconter :

— « Vous avez maigri et vieilli » dit-on au voyageur

de retour dans je ne sais quelle pièce. Que j'ai maigri s'explique aisément car je n'ai pas toujours été sur un lit de roses.

— Qu'as-tu fait durant toutes ces années ? Pourquoi n'as-tu pas donné de tes nouvelles ?

— Impossible ! J'étais prisonnier des Viets.

Mme Bréval écarquillait les yeux.

— Je croyais cette guerre finie depuis longtemps !

Il haussa les épaules.

— Elle continue, hélas, sous un autre aspect, non moins acharnée et je me demande si elle cessera un jour. Il n'y a pas que les troupes régulières, mais aussi des maquis, remarquablement organisés et équipés qui se déplacent sans arrêt. Pour obtenir des rançons, disposer de moyens de pression ou autres raisons, ils n'hésitent pas à faire, parmi les civils assez imprudents pour s'aventurer hors des lieux préservés, des prisonniers qu'ils entraînent dans des jungles impénétrables, sans aucunement se préoccuper des lois internationales. Parfois, ils s'arrêtent dans des villages perdus, peuplés d'une humanité primitive et qu'ils terrorisent. Tout cela est, évidemment, resté ignoré des touristes et des milieux officiels.

Il s'interrompit et tendant à la cheminée ses mains belles de formes mais zébrées de cicatrices, il dit :

— Ce feu me plait. Je suis devenu frileux, sais-tu ?

Mme Bréval poussait une exclamation :

— Tes mains ! Qu'est-il arrivé à tes mains ?

— Oh ! des vétilles ! répondit-il avec indifférence. Cela s'arrange un peu chaque jour. Par contre, je me demande si mon bras gauche, cassé à plusieurs reprises, retrouvera jamais sa souplesse.

— Mon pauvre, pauvre enfant !

Mme Bréval était atterrée de découvrir cet univers

implacable dont elle ne soupçonnait pas l'existence. La voix si virile du jeune homme fléchit pour dire encore :

— Certains de mes camarades de captivité ont péri, soit sous les mauvais traitements, soit de dysenterie, de malaria, ou d'une des fièvres pernicieuses fréquentes dans ces régions. En dernier, nous n'étions plus que deux. J'ai survécu parce que j'avais une robuste constitution et que mes connaissances en radio me valaient certains privilèges de la part de mes geôliers.

Un pli se creusait dans sa joue maigre.

— Je n'en ai pas moins été très éprouvé. Je n'avais qu'une idée : m'évader. Je l'ai essayé de nombreuses fois ; chaque fois j'étais repris et fouetté en guise de punition. Enfin, après de multiples tentatives, j'ai réussi à m'échapper, à gagner des endroits civilisés. Mon premier soin a été de revenir en France, de rentrer au bercail. Après le cauchemar que je venais de vivre, cela me semblait d'une urgente nécessité.

Olivier fit une pause avant de reprendre :

— Voyez-vous, j'ai assisté à des scènes insoutenables, j'ai vécu des moments terribles.

Il secoua la tête comme pour répondre à une requête informulée.

— Ne me demandez pas d'en parler, ce serait au-dessus de mes forces. Plus tard, peut-être, ... mais c'est trop tôt encore.

Il se passa les mains sur le visage sans doute pour en chasser les visions qui le hantaient ; puis son regard fit le tour de la pièce douillette et tranquille où flottait encore le parfum de violette et murmura :

— J'espère trouver l'oubli, la paix dans ce havre où tout est demeuré si semblable à autrefois ...

Mme Bréval soupira.

— Pas tout à fait, hélas !

Désignant sur les murs les taches plus claires indiquant les places autrefois occupées par des tableaux enlevés, les vides laissés dans l'élégante vitrine de noyer, autrefois remplie d'objets d'art, elle expliqua avec gêne :

— La finance n'a jamais été mon fort. J'ai fait de mauvais placements. La Roselière est une lourde charge ; l'entretien des toits coûte très cher. Pour faire face aux dépenses, j'ai dû me séparer de pas mal de choses … Maintenant que Séverine travaille, cela va mieux.

Comme s'il ne les avait pas remarqués jusqu'à présent, le jeune homme parut découvrir la place des objets manquants dans la vitrine et sur les murs. Une brève rougeur, peut-être un reflet des flammes, embrasa ses joues un instant. Il ne fit pas de réflexion mais tourné vers Séverine, constata :

— C'est vrai que tu es une grande fille, maintenant ! Dans quelle partie travailles-tu ?

— L'immobilier, dit-elle. Cela ne me déplait pas.

Il la regarda songeusement puis il esquissa ce sourire charmeur qui lui valait tant de succès auprès des femmes et aussi de solides antipathies de la part des hommes. Le cœur de Séverine se gonfla de réminiscences …

— Comme tu est devenue jolie, ma cousine ! dit Olivier. Tout à fait ravissante, même…

La réplique vint, rapide :

— Cela signifie que je ne l'étais guère quand tu es parti !

Assoupis par l'absence, ses sentiments d'autrefois, faits d'amour, de rancœur, d'humiliation alors que, tout occupé de la belle Arlène, Olivier ne se souciait pas d'elle, lui remontaient à la gorge. Il la regarda et, sans cesser de sourire, répondit :

— Je n'ai pas dit cela, mon ange, mais il faut convenir qu'un appareil dentaire n'a jamais embelli personne.

Il l'appelait mon ange, autrefois, pour la taquiner et cela l'exaspérait. Tout comme aujourd'hui. Avec ressentiment, elle riposta :

— Et tu ne te privais pas de te moquer de moi.

— Ce n'était pas très élégant de ma part, je l'admets, reconnut-il. Une chose est certaine, en tout cas, appareil dentaire à part, tu as bien employé ton temps.

Séverine rougit, comme six ans plus tôt. Olivier la regardait trop longuement. Il y eut ensuite le silence qui suit les fortes émotions, ce silence lourd de toutes les impressions en suspens, encore inexprimées. Les flammes pourtant s'étaient remises à danser dans l'âtre, la pendule à compter les minutes. Devant le foyer, les pattes étendues devant lui dans l'attitude du sphinx, le chat surveillait les événements comme s'il ne se fût pas encore fait une opinion sur ce qui se passait.

— De quelle manière es-tu venu, Olivier ? demanda Mme Bréval.

— J'ai pris un taxi à la descente du train. Je l'ai renvoyé pensant qu'il n'était pas nécessaire de le garder.

— Naturellement.

Il sembla que ce détail leur fit reprendre pied dans la réalité. Attirée par le bruit des voix, une femme apparut sur le seuil de la porte. Sous le peignoir visiblement enfilé à la hâte, on voyait une chemise de nuit de percale à fleurettes et une résille enfermait ses cheveux. D'un ton acrimonieux, elle commença :

— Qu'est-ce qui se passe ? J'ai entendu tirer les verrous de la porte. Ça n'a pas de bon sens de recevoir des visites à une heure pareille !

Ainsi que les gens qui se savent indispensables, Aurélie prenait à La Roselière une autorité disproportionnée. En réalité, elle régnait sur la maison, dirigeait tout à sa guise et se conduisait en vrai despote.

— Un jour, vous vous ferez assassiner, c'est sûr, ajouta-t-elle.

Puis en avançant dans la pièce, elle découvrit l'arrivant et porta la main à sa bouche.

— Monsieur Olivier !

— Comme tu vois …

Aurélie et Olivier se tutoyaient par une insigne faveur de la servante qui, partiale comme tous les tyrans, ne l'eût pas admis de Séverine mais avait pour Olivier maintes faiblesses. Elle cachait néanmoins cette idolâtrie sous une apparence hargneuse.

Sans doute Aurélie avait-elle cru au retour du jeune homme car elle ne parut pas étonnée outre mesure de le voir. D'un ton grondeur elle se contenta d'interroger :

— Pourquoi es-tu resté si longtemps sans donner de tes nouvelles ? Ce ne sont pas des manières !

Elle masquait son émotion de son mieux mais sa voix enrouée la trahissait. Avec fatigue, Olivier expliqua :

— Je ne pouvais communiquer avec personne, j'étais prisonnier des Viets. J'ai seulement réussi, il y a quelques jours, à m'évader.

— Quelle idée aussi de s'en aller dans ces pays de sauvages ! Si tu as eu des misères, ne compte pas sur moi pour te plaindre.

Son œil encore vif avait enregistré la maigreur du revenant, ses traits marqués par les épreuves, mais elle jugeait de sa dignité de ne pas montrer d'attendrissement.

27

— J'espère que cela t'a guéri de ton goût de l'aventure ? conclut-elle.

— Toujours aussi mauvais caractère, Aurélie ! remarqua Olivier.

Elle redressa la tête.

— A mon âge, il ne faut pas compter que cela change. Mais, c'est pas tout ça. Est-ce que tu as mangé quelque chose ?

Elle prenait sans vergogne la place de la maîtresse de maison et personne ne songeait à s'en étonner.

— Je peux te faire une omelette, proposa-t-elle. Il y a du fromage et des fruits.

Elle dévisageait l'arrivant d'un regard réprobateur :

— A te voir aussi maigre, on se rend bien compte que ça fait longtemps que tu ne manges pas ton content.

— C'est exact, dit le jeune homme. Mais je n'ai pas faim. En revanche, je voyage depuis plusieurs jours et j'éprouve un terrible besoin de sommeil.

Mme Bréval se tourna vers la servante.

— Aurélie, dit-elle, allez préparer la chambre de M. Olivier ...

Aurélie la toisa.

— Bien sûr, grommela-t-elle. Est-ce que vous croyez qu'il faut me le commander ? Je sais ce que j'ai à faire !

Elle quitta la pièce en ronchonnant, silhouette un peu comique avec sa chemise de nuit dépassant le peignoir.

— Chère vieille Aurélie ! dit Olivier en la regardant sortir.

Le sourire qu'il gardait depuis son arrivée se crispait, comme s'il n'en pouvait plus de le maintenir sur ses lèvres.

— C'est vrai, mon pauvre enfant, que tu as l'air harassé ! observa Mme Bréval.

— A vrai dire, je suis épuisé, soupira-t-il. Mais il me semble avoir enfin trouvé un port.

Après avoir à nouveau regardé autour de lui, ses yeux se portèrent vers la fenêtre proche. Du parc, on apercevait les arbres plusieurs fois centenaires découpés par le clair de lune, les charmilles où s'étaient abritées tant d'idylles et une portion de ciel étoilé.

— Ce calme ! dit-il, cette douceur de vivre ! J'avais oublié tout cela …

— Vraiment, insistait Mme Bréval, tu ne veux pas prendre quelque chose ?

Elle hésita avant d'ajouter :

— Un petit remontant, peut-être ? J'ai du cognac …

Elle faisait un gros effort car, autrefois, elle luttait contre le penchant d'Olivier pour l'alcool. Mais celui-ci esquissait un signe de dénégation.

— Non, merci.

Il prit un paquet dans sa poche, en sortit une cigarette qu'il alluma, dont il tira quelques bouffées … Puis il la lança dans le feu.

— Vous voyez, dit-il, j'ai même perdu le goût du tabac.

Ayant enfin pris la décision de trouver l'arrivant sympathique, Vaurien vint se frotter contre ses jambes. Olivier lui gratta le front et, s'adressant à Séverine, demanda :

— A propos, dors-tu toujours avec Gédéon ?

Gédéon était un gros ours en peluche offert à Séverine pour ses étrennes, que celle-ci aimait beaucoup et sans lequel elle ne pouvait s'endormir. Ce fut l'aïeule qui répondit :

— Non. Gédéon n'existe plus. Il était tellement mangé aux mites que sa compagnie devenait malsaine. Le jardinier l'a fait brûler, en même temps que les mauvaises herbes. Naturellement, Séverine a pleuré.

A ce moment, Aurélie fit sa réapparition.

— Le lit est fait, dit-elle. Tout est resté comme il y a six ans ...

Elle prit un temps puis ajouta :

— Tout de même, monsieur Olivier, je suis bien contente que tu sois de retour !

Elle renifla fortement, pour arrêter des larmes qu'à aucun prix elle n'eût voulu montrer.

— Merci, Aurélie, dit le jeune homme.

Il se leva, prit sa mallette :

— Tu n'as pas d'autres bagages ? demanda la servante.

— Non, je n'ai pris le temps que d'acheter l'indispensable. Je ferai demain des emplettes en ville.

— Eh bien, cela va faire du bruit ! estima la servante. Les langues vont marcher bon train, c'est sûr !

Comme s'il les eût quittées la veille, Olivier embrassa l'aïeule et la jeune fille avant de sortir de la pièce. Aurélie lui emboîta le pas, puis s'exclama :

— M. Olivier où vas-tu ? Ce n'est pas de ce côté qu'est ta chambre !

— C'est vrai, dit le jeune homme. Que je suis bête !

* * *

Demeurées seules, les deux femmes se regardèrent quelques instants sans rien dire puis Mme Bréval murmura :

— Ainsi, il est revenu celui que je pensais ne jamais revoir. Je n'arrive pas encore à y croire !

30

L'OISEAU DE PASSAGE

Il y avait dans sa voix une curieuse réticence.

— N'est-il pas étrange qu'après l'avoir tant attendu, Olivier soit reparu ce soir, alors que nous venions justement de parler de lui, de relire son unique message ?

— Nous parlions de lui presque tous les soirs, grand-mère, observa doucement Séverine.

— C'est juste. Je ne sais plus où j'en suis ...

La vieille dame se passa la main sur le front.

— J'ai l'impression que mon vœu le plus cher se trouve subitement réalisé, comme par magie, à se demander s'il ne s'agit pas d'un tour d'illusionniste, d'un mirage qui va se dissiper en fumée ... Et toi, Séverine, quelle est ton impression ?

— La même que la tienne, grand-mère.

En réalité, ce qu'elle éprouvait était trop trouble, trop complexe pour être exprimé avec des mots.

— Comme il a changé ! reprenait l'aïeule. Comme il est différent ! Ses beaux cheveux blonds grisonnent et ses yeux, autrefois si bleus, virent au gris. Je ne me souvenais pas non plus qu'il eût cette ride au coin de la bouche.

— Il ne l'avait certainement pas, dit Séverine.

Tout en regardant le feu, la jeune fille poursuivait, songeuse :

— Moi aussi, je trouve Olivier changé. Mais, après tout, c'est normal. Le temps laisse son empreinte sur les êtres et nous-mêmes sommes certainement différentes de ce que nous étions quand il est parti. De plus, il a subi des épreuves, vécu des souffrances qui marquent les traits. L'âme aussi, sans doute !

Elle pensait que l'homme, sortant de l'enfer et revenant vers la maison de sa jeunesse comme vers un havre de paix, ne pouvait plus être le même que le jeune homme impétueux, plein d'ardeur et de vitalité qui l'avait quittée six ans plus tôt.

— Certes, reprit-elle, il a maintenant les cheveux gris, ses yeux sont moins bleus. Mais il est toujours beau, conclut-elle tout bas.

Jamais ce visage, ce profil, ce sourire ne cesseraient d'exercer sur elle leur fascination. Sans l'entendre, Mme Bréval remarquait :

— Et il a refusé du cognac, lui qui aimait tant l'alcool !

— Peut-être est-il devenu tel que tu le souhaitais autrefois ? dit Séverine.

— Peut-être …

— Il s'est souvenu de Gédéon, souligna la jeune fille.

Elle trouvait à cette constatation quelque chose d'émouvant et aussi, en quelque sorte, de rassurant. Au bout d'un instant, Mme Bréval se leva.

— Je vais me coucher, dit-elle. Ces émotions ne sont plus de mon âge. Je suis brisée.

En effet, la fatigue creusait ses traits, amincissait le doux visage fané.

— Tu viens, Séverine ?

— Tout à l'heure, dit la jeune fille. Je reste encore un peu près du feu, en compagnie de Vaurien.

Entendant son nom, le chat ouvrit un œil paresseux puis le referma.

— Ne tarde pas trop, reprit l'aïeule. N'oublie pas que tu dois être à ton bureau à 9 heures.

— Non. Je n'oublie pas.

L'une et l'autre prononçaient machinalement les mots de chaque jour, mais après la scène émouvante qui venait de les bouleverser, les propos quotidiens semblaient curieusement déplacés. Mme Bréval quitta la pièce et Séverine resta seule.

* * *

Pourquoi avait-elle préféré rester dans le salon plutôt que de monter à sa chambre ? Séverine n'aurait su le dire. Peut-être afin de trouver dans le chatoiement des flammes une aide pour mettre de l'ordre dans ses impressions, éclaircir le trouble de son cœur.

Le feu mouvant lui restituait des images du passé ... Combien de fois, six ans plus tôt, n'était-elle pas restée ainsi le soir, à la même place, guettant le retour d'Olivier attardé dans les bars de la ville, ou auprès de cette Arlène détestée !

Elle éteignait la lumière pour qu'il ne se doutât pas de sa présence et n'allait pas se coucher avant de l'avoir entendu rentrer. Lui-même assourdissait le plus possible le bruit de ses pas, mais il lui arrivait de trébucher sur le gravier et aussi de fredonner en sourdine. Par moments, lorsqu'il longeait le couloir menant à sa chambre, elle croyait, par la porte entrouverte, reconnaître au passage le parfum d'Arlène qu'il ramenait avec lui. Ces nuits-là, Séverine souffrait un martyre de jalousie ...

Un soir il l'avait surprise, s'était étonné. Elle se rappelait sa confusion d'avoir dû invoquer le prétexte d'un livre oublié qu'il lui fallait étudier pour sa leçon du lendemain. Elle ne l'intéressait pas assez pour qu'il cherchât à aller au fond des choses. Il se pouvait aussi qu'il n'eût pas été dupe et qu'il comprît les raisons de sa surveillance mais en se refusant à aggraver son embarras. Avec le recul du temps, Séverine s'interrogeait à ce sujet ...

Des années après son départ, elle croyait encore l'entendre, étouffant l'écho de ses pas. Ses sentiments, ses impressions lui revenaient, comme si elles eussent daté de la veille.

Durant la longue absence n'avait-elle pas attendu maintes fois à cette même place, espérant contre toute logique que le pas d'Olivier, soudain, ferait crisser le gravier de l'allée, qu'une chanson murmurée se ferait entendre dans la nuit. Et voici qu'il était revenu ... A cette pensée, son propre sang coulait plus rapide et plus chaud dans ses veines.

L'odeur de violette s'effaçait, remplacée par celle du bois de pommier qui se consumait doucement. Les flammes cessaient de se communiquer de mystérieux secrets.

Se levant, Séverine s'avança vers la glace de la cheminée et examina longuement son visage, soulevant la masse de ses cheveux sombres pour mieux détailler ses traits. Oui, indiscutablement, elle était devenue jolie, avec un ovale affiné dans lequel, à l'abri de longs cils, brillaient des prunelles de velours. Par un réflexe puéril, elle se sourit, montrant ses dents impeccablement rangées.

François, souvent, lui faisait des compliments mesurés, à sa manière un peu empruntée de garçon sans fantaisie.

Mais elle ne voulait pas, en ce moment, penser à François.

Délaissant son image elle vint, comme l'avait fait Olivier, contempler par la fenêtre le paysage baigné de lune. Le vent ne soufflait pas, même les oiseaux de nuit se taisaient. Le ciel planait sereinement sur les arbres immobiles. Séverine pensa que ce spectacle paisible devait sembler reposant à l'homme qui revenait, épuisé par tant d'épreuves !

Il ne dormait pas.

En se penchant, Séverine voyait se dessiner sur la pelouse le rectangle jaune de sa fenêtre éclairée. Mais comment imaginer qu'Olivier se trouvait bien dans la chambre dont il avait oublié le chemin ?

CHAPITRE III

Séverine s'aperçut très vite qu'Aurélie avait raison en supposant que le retour d'Olivier allait faire marcher les langues : elle en eut la preuve dès le lendemain.

Alors qu'elle sortait de l'agence immobilière qui l'employait pour aller poster des lettres, comme elle faisait chaque jour, elle fut interpellée par Arlène Rouvier. Celle-ci devait la guetter dans une intention déterminée car elle n'habitait pas dans ce quartier et on l'y voyait rarement. Tout de suite, elle dévoila sa raison d'être là :

— Que me dit-on ? prononça-t-elle. Olivier serait de retour ?

Elle se tenait devant la jeune fille, dressée comme si elle demandait des comptes. Elle portait un deux-pièces pantalon dont le bleu vif seyait à sa blondeur artificielle. Elle était belle indiscutablement, le coiffeur et l'institut de beauté y contribuaient sans doute beaucoup, mais le résultat en valait la peine.

Les six années écoulées depuis le départ d'Olivier n'avaient pas laissé de traces sur son visage bien fardé mais aux yeux prévenus de Séverine sa silhouette sembla un peu épaissie. La jeune fille la regardait avec antipathie.

— On ne vous a pas trompée, madame, répondit-elle d'un ton mesuré. Effectivement, mon cousin est de nouveau parmi nous.

— Comment se fait-il qu'il ne soit pas encore venu me voir ? demanda la jeune femme.

Sa voix résonnait, trop aiguë, dans la rue tranquille. Séverine eut un geste d'ignorance.

— En vérité, je n'en sais rien.

— C'est insensé de ne pas m'avoir prévenue ! déplora Arlène. Dites-lui que je l'attends sans tarder.

Elle croyait, de toute évidence, reprendre intact son ascendant sur Olivier et qu'il serait, comme autrefois, prêt à satisfaire ses moindres désirs. Il était possible que ce fût vrai...

— Je lui ferai la commission, assura Séverine d'un ton froid.

De sa voix haut perchée, Arlène insista :

— N'y manquez pas ! Vous n'avez pas besoin de lui rappeler mon adresse, il la connaît.

Après quoi, elle fit en guise d'adieu un signe de tête auquel la jeune fille répondit de même façon. Cette rencontre l'avait déprimée. Poursuivant son chemin, Séverine alla jeter ses lettres à la boîte. En revenant, elle se trouva face à François Lomond qui sortait d'une maison voisine dont les panonceaux dorés placés à l'entrée annonçaient une étude de notaire.

C'était celle de Me Lomond, le père de François qui devait lui succéder. Le jeune homme exerçait les fonctions de premier clerc.

Assez grand, bien bâti, plutôt corpulent, avec un visage plein aux traits réguliers sous des cheveux châtains, François aurait probablement sous peu des problèmes avec sa ligne mais, pour le moment, il méritait pleinement sa réputation de beau garçon. Ajoutée à la situation, elle en faisait le point de mire de toutes les filles à marier de la région. Aussi semblait-il surprenant à beaucoup que son choix se fût égaré sur cette petite Séverine sans dot ni espérance, plutôt que sur une riche héritière.

Lui aussi entra d'emblée dans le vif du sujet. A peu de chose près, ses paroles furent celles d'Arlène Rouvier.

— J'ai appris le retour d'Olivier Dormeuil, attaqua-t-il sans autre préambule.

Sur ses gardes, Séverine se contenta de répondre :

— En effet, mon cousin est revenu.

— Ainsi, après six ans d'absence, cet individu a jugé bon de réapparaître ! Je ne pouvais pas le croire ! J'ai téléphoné à votre grand-mère qui m'a confirmé la nouvelle ... Depuis, il m'a été raconté qu'il s'était promené en ville, faisant des achats dans les magasins. Il paraît qu'il a même acquis une voiture ?

— J'ignorais ce détail, mais le reste est exact.

Le visage du jeune homme exprima la consternation.

— Qu'est-ce qui a pris à ce garçon, après si longtemps ? Je mentirai en disant que ce retour m'enchante car c'est tout le contraire ! Alors qu'on commençait à oublier la déplorable histoire qui avait motivé son départ, les souvenirs vont se réveiller ! On va se rappeler qu'Olivier Dormeuil a été accusé d'un meurtre jamais éclairci ... De plus ...

— Olivier était innocent, coupa Séverine d'un ton ferme. Cela a été prouvé.

François eut l'air excédé.

— Soit. Admettons-le ! Mais il faut avoir les antécédents déplorables de cet individu, et tout ce qui a permis de le soupçonner d'assassinat ! Cela ne m'arriverait certainement pas !

Il affirmait avec tant de vanité sa conviction d'être inattaquable que Séverine en fut choquée tandis qu'il continuait :

— Il peut être vraiment déplaisant de côtoyer dans la famille où l'on souhaite entrer un parent de cette sorte. Surtout quand on exerce une profession qui exige une rigoureuse honorabilité, comme c'est le cas …

Assuré de son bon droit, il ne se donnait même pas la peine de masquer combien le retour de l'indésirable le contrariait. Sans prendre garde à l'expression crispée de Séverine, il poursuivit :

— Et peut-on savoir ce qu'il faisait pendant tout ce temps durant lequel il n'a pas donné signe de vie ?

— Il était prisonnier des Viets et dans l'impossibilité d'écrire, expliqua Séverine. Il a beaucoup souffert, connu des moments difficiles.

François parut surpris, puis il ébaucha une moue dubitative.

— C'est ce qu'il prétend ! Allez donc savoir ! A beau mentir qui vient de loin, comme dit le proverbe. Comment vérifier ses assertions ? Peut-être Dormeuil purgeait-il simplement une peine infâmante en compagnie de condamnés de droit commun ?

Indignée, Séverine protesta :

— Qu'allez-vous imaginer là !

— Rien que de très plausible, étant donné le genre de l'individu, affirma-t-il. En tout cas, Dormeuil aurait mieux fait de rester où il était. Je trouve même qu'il lui a fallu un fameux toupet pour revenir !

L'OISEAU DE PASSAGE

Alors qu'il se montrait d'ordinaire si pondéré, François maîtrisait difficilement sa voix. Il s'interrompit pour saluer une passante, une vieille cliente de l'étude, qui lui jeta un regard curieux, et s'en irait raconter ensuite par la ville que le fils Lomond se disputait avec sa fiancée, ce qui lui semblait mal augurer de leur avenir. A un autre moment, François s'en fût préoccupé mais son état d'esprit le portait ailleurs.

— Olivier a vécu toute sa jeunesse à La Roselière, rétorqua Séverine. Il était naturel, qu'après les dures épreuves qu'il a subies, il ait souhaité se retremper dans l'air natal. Et ma grand-mère est enchantée de son retour.

Il haussa les épaules.

— Votre grand-mère, Séverine, est une femme charmante pour laquelle j'ai beaucoup d'amitié, mais convenez qu'elle est terriblement naïve et qu'elle a toujours eu beaucoup trop d'indulgence pour ce mauvais sujet de Dormeuil.

Très froidement, Séverine affirma :

— Olivier n'a jamais été le vaurien que vous voulez voir en lui ! Il s'est montré étourdi, léger, soit ... et les circonstances ont joué contre lui. Je vous prie de ne pas oublier qu'il est mon cousin et que je lui suis très attachée. Vous entendre parler de lui comme vous le faites me peine et me déplait.

François dut comprendre qu'il avait été trop loin. Il reprit d'un ton différent :

— Excusez-moi, Séverine. Je ne voulais pas vous mécontenter. Je pensais seulement à notre avenir commun. Vous savez combien mon père, s'il néglige d'autres questions, est sévère en ce qui concerne la respectabilité.

« D'autres questions ... » C'était rappeler insidieusement que si Me Lomond se résignait — du reste en rechignant — à ce que son fils épousât une fille pauvre, il exigeait que sa réputation et celle de sa famille fussent intactes.

— Espérons donc qu'Olivier Dormeuil se conduira convenablement et ne fera pas quelque bêtise susceptible de nous porter préjudice. Qu'il lui suffise d'être bâtard ! ...

— Oh assez ! cria Séverine avec exaspération.

Il la regarda d'un air choqué puis pinça les lèvres. Il ne comprenait pas son entêtement à défendre le personnage peu recommandable qu'était son cousin. Elle, qui avait pourtant espéré qu'une sympathie naîtrait entre les deux hommes ...

Les jeunes gens se turent quelques instants puis François consulta sa montre.

— Je ne puis m'attarder plus longtemps, dit-il. Mon oncle Arsène — vous savez, le frère de ma mère — rentre de la Côte d'Azur. Il faut que j'aille le chercher à la gare.

Séverine hocha la tête. Elle savait comme tout le monde qu'Arsène Laroche faisait souvent des séjours dans des maisons de santé, certains disaient « des asiles psychiatriques ».

— Nous avons tout de même quelques minutes pour aller prendre un verre. Venez-vous ?

Elle fit un signe de dénégation.

— Non, merci.

— Allons, ne boudez pas ! insista-t-il.

— Je ne boude pas. Je suis fatiguée.

42

Elle se sentait brisée, comme après un violent effort et réprimait avec peine une puérile envie de pleurer. Elle ne désirait pas prolonger la conversation mais quitter au plus tôt ce garçon sans compréhension ni indulgence.

Hors de la ville, dans les jardins on brûlait des mauvaises herbes, les chrysanthèmes répandaient leur odeur amère et les pommes rouges achevaient de mûrir. Tout en roulant sur le vélomoteur avec lequel elle faisait chaque jour le trajet de La Roselière à son travail, la jeune fille pensait que ces deux rencontres — celle d'Arlène et celle de François — laissaient présumer les conséquences de la réapparition d'Olivier, des complications à venir et des combats qu'il lui faudrait mener.

* * *

Quand elle arriva à La Roselière, le jeune homme s'appuyait à la porte de la demeure ; décidément apprivoisé, le chat Vaurien se tenait assis à ses côtés. Olivier ne portait pas les mêmes vêtements que la veille mais un costume de tissu Prince de Galles qui mettait en valeur sa silhouette haute et mince. Séverine ne se souvenait pas qu'il fût si grand.

La lumière du jour accusait sur son visage les stigmates laissés par les épreuves et les années ; avec sa crinière de cheveux grisonnants, ses yeux trop enfoncés pour qu'on en pût bien discerner la couleur, il semblait distant et Séverine eut la fugitive impression de se trouver en présence d'un étranger.

Puis un rayon de soleil alluma un éclair bleu dans le regard d'Olivier et il se mit à sourire. Du même sourire que celui du garçon qui était parti pour l'aventure en sifflant une marche entraînante. Les mèches grises, à présent mêlées aux cheveux blonds, firent soudain l'effet d'une anomalie. Un peu plus loin, rangée devant la façade, une automobile de grande marque rutilait de tous ses chromes.

— Bonjour, dit le jeune homme avec entrain. Ce matin, je ne me suis réveillé qu'après ton départ. Comment s'est passée cette journée de labeur ?

Oubliant délibérément les incidents des dernières heures, Séverine haussa les épaules.

— Bah ! Comme toutes les journées.

— Tu parais fatiguée.

— Peut-être. Toi, en revanche, tu as l'air en pleine forme.

— Oh ! ça va. Je commence à ressentir les bienfaits de l'air et du calme.

Désignant le vélomoteur, appuyé contre le mur et dont la jeune fille venait de descendre, il demanda :

— C'est avec cet engin que tu te rends à ton travail ?

— Oui. C'est bien pratique.

Il regarda le foulard qui recouvrait les cheveux de la jeune fille pour les empêcher de voler dans le vent et observa :

— Je n'aime pas ces foulards sur la tête. La reine d'Angleterre en porte de semblables pour aller visiter ses chevaux et cela ne l'avantage guère. Les Anglais ont sur l'élégance des idées que je ne partage pas. Les paysannes russes cachent également leurs cheveux dans de pareils fichus ça ne les embellit pas davantage.

L'OISEAU DE PASSAGE

D'un geste rageur Séverine arracha le foulard et secoua sa chevelure pour la faire gonfler ; imperturbable, Olivier reprit :

— Ne te fâche pas, mon ange ! Je vais t'acheter une petite voiture, une mini Austin, de cette façon tu ne seras plus décoiffée.

Hésitante, suffoquée et tentée à la fois, la jeune fille murmura :

— Mais je ne sais pas conduire !

— Tu apprendras.

Il alluma une cigarette et, cette fois, ne la jeta pas comme la veille. Il en tira quelques bouffées.

Pour meubler le silence gênant qui s'installait, Séverine questionna :

— Comment as-tu passé la journée ?

Il eut un geste vague.

— Oh ! j'ai renoué connaissance avec la ville, fait des emplettes. Je suis aussi entré dans une église. J'aime l'odeur de vieil encens dont les murs sont imprégnés, et j'ai été attendri de revoir les bons visages de nos saints familiers, plus réconfortants à regarder que les faces grimaçantes des « guarudas », ces idoles de pierre que l'on rencontre partout d'où je viens, même dans la jungle. J'avais vraiment l'impression que Saint Jean, Saint Pierre et Saint Roch me souhaitaient la bienvenue.

Cela ne ressemblait pas à Olivier d'être touché par l'expression bienveillante des saints aux visages naïfs qui ornent les églises. Naguère, il s'en serait plutôt moqué. Oui, les épreuves l'avaient changé. Il continua, désignant l'auto :

— J'ai également acheté ce véhicule. A propos, je me doute que mon retour a fait sensation ...

— C'est le moins qu'on puisse dire ! Toute la ville est en émoi.

Poussée par un mauvais démon, la jeune fille ajouta :
— J'ai croisé Arlène Rouvier dans la rue Grande. Elle s'est enquis de toi et paraissait très froissée que tu ne sois pas allé la voir dès ton arrivée.

D'un ton indifférent, il dit :
— Cette chère Arlène ! Toujours belle ?
— Tu la trouveras un peu épaissie.
— Elle doit en être désolée. Quoique, parfois, un peu d'embonpoint soit assez seyant à certains types de femmes.

Séverine n'eut pas le temps de répondre, Mme Bréval apparaissait, les joues rosies par l'excitation.
— On peut dire que les nouvelles vont vite. Toute la journée je n'ai cessé de recevoir des coups de téléphone concernant Olivier. Même François Lomond s'est manifesté.
— Je l'ai rencontré, dit Séverine brièvement.

Elle ne tenait pas à s'étendre sur le sujet mais l'aïeule insista :
— Je ne sais pas si tu te souviens de François Lomond, Olivier ?

Le jeune homme secoua la tête.
— Sincèrement, je ne vois pas de qui il peut s'agir.
— Il est vrai qu'il est un peu plus âgé que toi. Vers vingt ans, deux ou trois ans font une différence énorme.
— Exact. Et nous ne fréquentions probablement pas les mêmes endroits. Qui est ce François Lomond ?

Mme Bréval ne put se défendre d'une certaine emphase en expliquant :

— Le fils du notaire de la plus importante étude de la ville. Il prendra la succession de son père quand celui-ci se retirera des affaires. C'est un garçon sérieux, convenable. Un très beau parti ! Il est fiancé à Séverine, acheva-t-elle, non sans orgueil.

Olivier leva les sourcils et, tourné vers Séverine, commenta d'un ton de badinage :

— Tu ne m'avais pas dit que tu était fiancée, mon ange ? Et à un beau parti, encore ! A quand la noce ?

— La date n'est pas fixée, murmura la jeune fille.

D'un ton rêveur, Olivier reprit :

— Non, je ne me souviens pas de François Lomond, fils de notaire et futur notaire lui-même mais je me le représente. Un peu solennel, assez pontifiant, ayant tendance à s'empâter et ennemi de toute fantaisie. Est-ce que je me trompe ?

Séverine rougit car, en vérité, quoiqu'il ne fût guère flatté, le portrait évoquait indiscutablement François. Elle lança à Olivier un regard furieux.

— N'avoir pas de fantaisie vaut mieux que d'en avoir de trop !

— Peut-être, répondit-il. Mais, sans fantaisie, que la vie doit être monotone !

Il parlait avec son insolence d'autrefois et ses yeux brillaient, moqueusement. Mme Bréval, choquée, rectifia :

— François, en effet, est peut-être un peu austère mais il est charmant. Et c'est un fort bel homme.

Sur le même ton, Olivier repartit :

— Pourquoi ne le serait-il pas ? Ce n'est pas interdit à un notaire. L'essentiel d'ailleurs est qu'il se soit fait aimer de Séverine.

Avec une certaine naïveté, Mme Bréval expliqua :

— Au début, elle se tenait sur la réserve, c'est moi qui ai insisté pour qu'elle acceptât ce mariage souhaitable à tous points de vue. François sera un excellent époux, tranquille, sûr. Je pourrai mourir en paix ...

Olivier ne répondit pas. La journée finissait, le soir venait lentement tout imprégné de la mélancolie de l'automne. Le ciel pur, sans nuages, se teintait de rose, une brume montait du sol et les oiseaux, créatures fragiles et pourchassées, cherchaient dans les branches le refuge qui leur permettrait d'attendre le matin sans risques. L'instant avait une douceur poignante. Des larmes qu'elle refoula montèrent aux yeux de Séverine. La fumée de la cigarette d'Olivier s'étirait dans l'air en longues volutes.

Après quelques instants de silence, le jeune homme reprit la parole :

— Au fait, pour satisfaire la curiosité de tous ces gens qu'intrigue mon retour, je pense qu'il serait bon de donner une petite réception. De les inviter à La Roselière, afin qu'ils puissent m'examiner de près, non ?

Mme Bréval eut un sursaut.

— Mais ...

De la main, il apaisa la vieille dame :

— Ne t'inquiète pas, grand-mère, il n'y aura pas de problème et aucun travail supplémentaire pour Aurélie. Un traiteur apportera les victuailles, la boisson, la vaisselle. Des garçons feront le service. Je m'occuperai de tout organiser.

— Cela coûtera un argent fou !

Il sourit.

— Aucune importance, j'en assumerai les frais.

Durant ma captivité, mon capital n'a pas diminué, au contraire il s'est accru. Question finances, je suis assez à l'aise.

Mme Bréval réfléchissait et un sourire s'esquissait sur son visage. Pour rien au monde elle n'eût voulu avouer qu'elle envisageait avec plaisir de revenir à la vie mondaine qu'elle avait dû, faute de moyens, délaisser et qu'il lui arrivait de regretter.

— Il faudra rouvrir le grand salon, murmura-t-elle.

S'adressant à Séverine, Olivier poursuivait :

— Cela me permettra de faire connaissance avec ton fiancé, ma jolie ...

Du tac au tac, elle répondit :

— Et toi, d'inviter Arlène Rouvier.

Il sourit.

— Cela va de soi.

Mme Bréval esquissa une moue car elle n'aimait guère la belle Arlène, mais ne protesta pas. Payant la réception, il était normal qu'Olivier choisît ses invités. Le jeune homme écrasa sa cigarette du pied et reprit :

— Ah ! au fait, grand-mère, il faut que je te prévienne ... J'ai convoqué un entrepreneur afin qu'il établisse un devis pour les réparations à effectuer, en particulier celles du toit de la maison, j'ai vu qu'il manquait des ardoises. Il faut veiller également à ce que la chaudière du chauffage soit en bon état de marche. Je crois aussi qu'il sera nécessaire d'engager un homme à demeure. Naturellement, j'assume toutes ces dépenses et j'entends payer ma pension.

— Cela veut dire que ... tu as l'intention de rester ? demanda Mme Bréval.

Il hésita.

— Oui. Du moins pour le moment. A moins que cela ne vous gêne.

— Oh ! bien au contraire !

— Alors, c'est parfait.

A nouveau il sourit, puis annonça :

— Je vais aller faire un tour avant la nuit et renouer connaissance avec mes vieilles amies Pomone et Cérès !

Il parlait des deux statues qui ornaient les charmilles, l'une à laquelle le nez érosé par les ans donnait une face camuse, portait des fruits dans un pli de sa tunique, faisait pendant à une autre, tout aussi verdâtre et moussue, qui serrait une gerbe de blé dans le seul bras qui lui restait.

— Ne t'attarde pas trop, pria Mme Bréval. Tu sais combien Aurélie déteste qu'on soit en retard pour les repas.

— Je serai à l'heure, sois sans inquiétude.

Les mains dans les poches, il s'éloigna vers les bosquets suivi du regard par les deux femmes. Quand il eut disparu, happé par la verdure, Mme Bréval observa :

— Olivier est donc bien revenu ... Hier soir, il me semblait tellement changé que j'avais du mal à le reconnaître et me posais des questions ...

Elle laissa la phrase en suspens et acheva :

— Aujourd'hui, je le retrouve : brouillon, léger mais généreux comme par le passé.

— Je le retrouve pareillement, dit Séverine.

Oubliant combien elle l'avait un peu plus tôt défendu auprès de François, elle ajouta :

— Toujours aussi insupportable !

Mme Bréval perçut l'amertume du ton sans en percevoir la cause profonde.

— Bah ! dit-elle, il y a six ans, vous étiez toujours en train de vous quereller ! Cela recommence, voilà tout !

Séverine ne répondit pas. Les yeux fixés sur l'endroit où Olivier s'était enfoncé parmi les arbres, elle pensait que le revenant avait apporté avec lui une atmosphère de trouble, d'incertitude qui semblait remettre toutes les valeurs en question. En proie à un grand tumulte intérieur elle en ressentait un malaise.

CHAPITRE IV

Le beau temps durait ; le soleil ne se lassait pas de dorer les feuilles, de faire étinceler l'eau des ruisseaux, d'éclairer indifféremment les grands ensembles, les pavillons récemment construits au bord des routes et les maisons anciennes blotties dans leurs parcs ; il réjouissait les vendangeurs qui, sur les coteaux, détachaient, des ceps, les grappes juteuses.

L'automne est toujours magnifique dans la région du Val de Loire, celle de la douceur de vivre mais Séverine ne se souvenait pas d'en avoir connu d'aussi splendide. De somptueuses nuances de pourpre et d'or se mêlaient à la verdure tenace des sapins et des mélèzes, des baies rouges et noires décoraient buissons et haies ; les oiseaux chantaient comme si l'on eût été au printemps.

Quelque chose de tendre et d'heureux se répandait dans l'air ; il ne semblait pas que les roses puissent mourir, ni le chagrin exister. En roulant sur son vélomoteur, Séverine éprouvait une incompréhensible allégresse.

Elle souhaitait ardemment que ce beau temps se prolongeât jusqu'à ce qu'elle eût obtenu le permis de conduire qui lui permettrait d'utiliser la mini Austin, actuellement garée dans l'ancienne écurie, près de la luxueuse voiture d'Olivier.

Après avoir dompté cette curieuse rébellion qui toujours la portait à repousser les bienfaits d'Olivier, elle avait fini par accepter le cadeau de la petite voiture qui lui permettrait de mieux affronter les intempéries et les rigueurs de l'hiver. Chaque jour, depuis, elle écourtait le temps de son déjeuner pour prendre une leçon de conduite. Assimilant aussi vite les manœuvres que les complexités du code elle ne doutait pas d'être reçue à l'examen.

Pour le moment, elle se servait encore du vélomoteur, tant pour effectuer le trajet de La Roselière à la ville que pour les courses nécessitées par son travail. Ce jour-là, elle se rendait aux bureaux du journal local afin d'y faire passer une annonce urgente dont le libellé était trop compliqué pour être dicté par téléphone.

Une fois arrivée, elle rangea son vélomoteur devant l'immeuble du journal lorsque, avec une certaine surprise, elle reconnut, parmi les véhicules rangés sur le parking, la longue voiture gris métallisé d'Olivier. Il en circulait peu de ce type dans la région ; toutefois, pour être certaine de ne pas se tromper, la jeune fille s'approcha, regarda le numéro : pas d'erreur, c'était bien la décapotable d'Olivier. Il devait donc se trouver dans les bureaux du journal. Qu'y venait-il faire ?

Intriguée, Séverine franchit à son tour la porte des bureaux, constata avec dépit dans la vitre faisant miroir qu'elle était décoiffée, répara les dégâts du bout des doigts et se dirigea vers le comptoir où l'on recevait les annonces. Elle discutait avec l'employé sur la rédaction de son texte quand elle aperçut son cousin qui traversait la salle où elle se trouvait afin de gagner la sortie. Il ne la vit pas et elle ne fit rien pour attirer son attention.

Quand elle en eut terminé avec l'annonce, Séverine consulta sa montre, elle n'était pas en retard et pouvait se permettre de disposer d'un moment sans que son patron risquât de s'en inquiéter.

N'hésitant plus, elle se dirigea vers la porte d'où, tout à l'heure, avait surgi Olivier et la poussa. Elle se trouva dans un hall au fond duquel s'amorçait un escalier et où donnaient plusieurs portes ; on entendait cliqueter des télex, des jeunes gens circulaient, l'air affairé, des papiers à la main. Un homme d'un certain âge, assis devant une table sur laquelle était étendu un journal, s'arrêta d'en suivre les lignes du doigt pour l'interpeller :

— Que désirez-vous ?

— Eh bien, j'ai vu tout à l'heure un ... ami sortir d'ici. Et je me suis demandé ce qu'il venait y faire !

Elle sourit de son air le plus ingénu et l'employé, qui devait être généralement assez maussade, sourit en retour, désarmé par tant de grâce et d'ingénuité.

— Petite curieuse ! fit-il d'un ton indulgent. La curiosité est un travers bien féminin. Votre ami ne serait-il pas un grand type maigre avec des cheveux grisonnants et un blouson de cuir ?

— C'est cela ... approuva Séverine.

— Au fond du hall, à côté de l'escalier, se trouve la salle des archives où il y a la collection complète des journaux. De là sortait votre ami.

Il réfléchit, puis ajouta :

— Ce n'est du reste pas la première fois qu'il vient. Il y a quelque chose qui l'intéresse dans ces vieux numéros, probablement.

De toute évidence, il n'avait pas reconnu Olivier.

— Ma foi, je pense que j'y pourrais trouver également de l'intérêt, à ces vieux journaux, dit Séverine. Est-ce que je pourrais à mon tour consulter la collection ?

— Pourquoi pas ? C'est à la disposition de chacun !

Dans un grand effort d'amabilité, il se leva de son siège et conduisit la jeune fille à une porte qu'il ouvrit. Elle donnait sur une salle rectangulaire dont une longue table occupait le centre. Des casiers contenant des dossiers du format d'un journal couvraient les murs ; il y avait quelques sièges disposés au hasard. On y respirait une odeur de poussière et d'encre d'imprimerie.

— Voilà, dit l'homme.

— Merci.

— Vous cherchez quelque chose de particulier ?

Séverine donna la première explication qui lui vint à l'esprit.

— C'est-à-dire … Il y a longtemps que je voulais me rendre compte du genre de feuilletons qu'on publiait autrefois. Ma grand-mère m'en vante tellement les mérites que je veux m'en faire une idée à mon tour !

Il se mit à rire.

— Ma femme ne manque pas un de ces romans et je n'arrive à obtenir un journal que lorsqu'elle a lu la dernière ligne de son feuilleton. Moi, je ne lis que les chroniques sportives. Les faits divers, la politique, c'est comme les feuilletons, ils se ressemblent tous !

Avec une moue désabusée, il ajouta :

— C'est incroyable ce que la vie est peu variée !

Simulant la désinvolture, la jeune fille s'enquit :

— Vient-il beaucoup de gens consulter ces collections ?

L'OISEAU DE PASSAGE

L'employé eut une moue :

— Non, peu, à vrai dire. La plupart des visiteurs de la salle des archives sont des journalistes, à la recherche d'informations professionnelles, des badauds par temps de pluie quelquefois, aussi des romanciers en quête d'une idée. Peut-être votre ami a-t-il envie d'écrire un roman basé sur un fait divers ?

— Possible, dit Séverine.

Pressé de retourner à l'examen des pronostics qui lui assurerait peut-être un tiercé sensationnel, l'homme acheva :

— Amusez-vous bien. Si vous avez besoin d'un renseignement, je suis à votre disposition.

— Merci beaucoup.

Restée seule, Séverine regarda les dossiers numérotés qui garnissaient les casiers répartis le long des murs ; chacun contenait une demi-année de publications. L'un de ces dossiers dépassait légèrement les autres, comme s'il avait été déplacé, puis remis, et la poussière en était enlevée. L'étiquette marquait qu'il contenait les numéros du journal datant de six années plus tôt, très exactement de l'époque du meurtre du mari d'Arlène Rouvier.

La jeune fille prit le volume, le posa sur la table devant laquelle elle s'assit et commença à le feuilleter ; de lui-même il s'ouvrit à la page qu'elle désirait, ce qui prouvait qu'on venait de la compulser. Elle y trouva ce à quoi elle s'attendait : les articles relatant le drame.

Elle les connaissait pour les avoir lus et relus à l'époque : le premier portait une manchette en caractères gras, terminée par un point d'interogation :

« Un crime passionnel ? »

« L'enquête s'oriente dans ce sens. »

« Un suspect gardé à vue. »

« Un jeune homme de la région, bien connu dans les
« milieux où l'on s'amuse, et dont les frasques ont sou-
« vent fait scandale, Olivier Dormeuil, qui passait pour
« très lié avec Arlène Rouvier, épouse de la victime, a été
« longuement interrogé par le juge d'instruction et gardé
« à vue.

« Emile Rouvier, on le sait, a été tué par un individu
« d'une force peu commune. Or, Olivier Dormeuil est
« jeune et athlétique. »

La manchette de l'article suivant était aussi sensation-
nelle. Elle disait :

« Le play-boy a-t-il tué par amour pour la belle
Arlène ? »

De même qu'un bon feuilleton, ce genre de faits divers
fait toujours monter le tirage d'un journal et le journaliste, pour lequel ce crime était une aubaine car il lui
fournissait de la bonne copie, s'en donnait à cœur joie. Il
épluchait la vie d'Olivier, remontant jusqu'à son
enfance, relatant les menues esclandres qui avaient
jalonné son adolescence, ses renvois de plusieurs établissements scolaires. Il montait en épingle d'insignifiantes
espiègleries, s'acharnant à présenter Olivier comme un
dévoyé capable du pire et mettait dans sa prose une hargne que seule expliquait une violente antipathie personnelle envers un garçon trop séduisant.

Une photographie d'Olivier illustrait l'article ; il y
montrait cet air d'arrogance qui plaisait tant aux femmes, et le faisait détester des hommes. Il n'avait certes
plus ce visage insouciant, rayonnant de jeunesse, mais,
sous ses cheveux autrefois blonds, aujourd'hui grisonnants, des traits tourmentés, marqués par les années
écoulées, et surtout les épreuves subies. Sur la même page

on voyait également un portrait d'Arlène Rouvier, très sophistiquée et souriant de toutes ses dents.

Séverine interrompit quelques instants sa lecture. Elle se souvenait de leur stupeur horrifiée, à sa grand-mère et à elle, à la lecture de ces lignes. Elle la retrouvait, presque intacte... Elle poursuivit sa recherche, tournant plus rapidement les feuillets, sautant d'un numéro à l'autre. Si l'histoire avait passionné les lecteurs pendant quelques jours, faute de rebondissements l'intérêt s'émoussait, les manchettes diminuaient d'importance et le tirage du journal devait baisser en proportion. A présent, à mots couverts, on laissait entendre qu'Olivier partageait peut-être les bonnes grâces d'Arlène avec un autre, dont on ne donnait pas le nom. On parlait de diverses pistes sans que la police en eût retenu aucune.

Les textes se raccourcissaient de numéro en numéro jusqu'à ce qu'un entrefilet de quelques lignes annonçât qu'Olivier Dormeuil bénéficiait d'un non-lieu, en terminant classiquement :

« L'enquête se poursuit. »

Comme Séverine lisait ces derniers mots, l'employé entrebâilla la porte, saisi peut-être d'un scrupule, et jeta dans la pièce un regard soupçonneux. Craignait-il que la visiteuse eût commis quelque dépradation aux volumes confiés à sa garde ?

— Vous avez terminé ? demanda-t-il.

— Oui.

Elle referma le volume, le remit soigneusement à sa place. Elle devait être pâle, car l'homme la dévisagea curieusement mais il ne fit pas de réflexion et elle sortit peu après. La voiture d'Olivier ne se trouvait plus dans le parking et Séverine ne se hâta pas de remonter sur son vélomoteur. Songeuse, elle réfléchissait sur ce qu'elle venait de découvrir.

Elle se demandait pourquoi Olivier était venu compulser les journaux. Elle se rappelait qu'à l'époque il affectait de mépriser la presse et ne lisait rien. Quel besoin morbide éprouvait-il donc aujourd'hui de ressusciter cette pénible époque de son existence, de lire sa propre histoire comme si elle était celle d'un étranger ?

Séverine ne pouvait s'empêcher de trouver singulier le comportement du jeune homme. A quels sentiments obéissait-il ? Elle se creusait vainement la tête à les imaginer. Une jalousie rétrospective poussait-elle Olivier à vouloir se renseigner sur la conduite d'Arlène ?

Après toutes ces années, ces aventures vécues, tenait-elle donc encore une si grande place dans son cœur ? Peut-être durant ce temps dans les prisons d'Asie, les cages de bambou promenées à travers la jungle et les marigots, l'image d'Arlène l'accompagnait-elle ... Peut-être l'avait-il aimée assez pour souffrir encore d'une infidélité d'autrefois.

Le ciel était toujours aussi bleu mais Séverine sentait une lourde tristesse s'appesantir sur son âme. Sa joie s'était enfuie.

* * *

Dernier cadeau de la journée, le soleil éblouissait de toutes les couleurs du couchant quand la jeune fille regagna La Roselière.

L'OISEAU DE PASSAGE

Olivier se tenait dans le parc, les mains dans les poches et le chat Vaurien à ses côtés. Il avait commandé à ses frais au jardinier Hector de couper et d'émonder les arbustes des bosquets qui, trop livrés à eux-mêmes, perdaient leur dessin. Il inspectait le travail tandis que le chat flairait avec circonspection les rameaux jonchant le sol. Lorsque Séverine vint à lui, il se tourna vers elle en souriant.

— Ces charmilles se dévergondaient, dit-il. Il était temps d'y mettre un peu de discipline !

Il désigna les statues, à présent dégagées, qui, éclairées par un dernier rayon, semblaient vivre d'une vie nouvelle.

— Cérès et Pomone vont prendre l'air, ça leur fera du bien !

Il était souriant, détendu et la jeune fille le fixait cherchant à lire dans ses yeux, en ce moment plus gris que bleus, mais sans y parvenir. Elle aurait voulu lui parler de sa visite aux archives du journal, lui demander ce qu'il cherchait exactement. Elle savait qu'elle n'en ferait rien, qu'elle ne l'oserait jamais … L'intimidait-il autant, autrefois ? Elle ne s'en souvenait pas.

Avec entrain, il reprenait :

— Comment vont les leçons de conduite, ma cousine ? As-tu appris à passer correctement tes vitesses ? Te débrouilles-tu avec les difficultés du code de la route ?

S'efforçant de parler sur le même ton, elle répondit :

— Oh ! ça marche. Le moniteur de l'auto école est convaincu que je réussirai mon examen du premier coup.

Il émit un sifflement admiratif qui fit se dresser les oreilles du chat.

— Tous mes compliments. Tu me parais douée. Tu

verras combien il te sera agréable, cet hiver, d'être à l'abri « du vent, de la froidure et de la pluie ».

— Oui, certainement, dit-elle.

Il hocha la tête d'un air satisfait et ajouta :

— A propos, les réponses arrivent à nos invitations. Il semble que tous ceux qui sont conviés viendront et qu'il n'y aura guère de défections.

Il eut un rire un peu grinçant.

— La curiosité est un mobile encore plus puissant que la sympathie ! Tous ces gens veulent contempler de près le fauve en liberté que je suis à leurs yeux. Ton fiancé, François Lomond, ses parents et même l'oncle Arsène ont envoyé leur acceptation. J'espère que cela te fera plaisir de voir ton cher François ?

Que François, en ce moment, était loin de ses préoccupations ! Avec un sentiment de culpabilité, Séverine assura :

— Oui, bien sûr.

— Je serai content de le connaître, dit Olivier.

— J'espère que vous sympathiserez ...

Il détacha une feuille morte tombée sur sa manche et lança avec légèreté :

— Pourquoi pas ?

Séverine s'éclaircit la gorge pour demander :

— Arlène Rouvier a-t-elle répondu ?

— Oui.

— Elle accepte ?

Il la considéra un instant avant de répondre :

— Evidemment.

... Evidemment, Arlène n'aurait eu garde de laisser échapper cette occasion d'expérimenter à nouveau sur Olivier son pouvoir de séduction, à supposer qu'elle ne l'eût pas encore revu, qu'il ne fût pas allé chez elle ainsi qu'elle l'y conviait. Séverine se faisait maintenant un point d'honneur de ne plus guetter, comme autrefois, les rentrées nocturnes d'Olivier, mais il lui paraissait impossible que le jeune homme n'eût pas rendu visite à cette femme aimée autrefois et sans doute encore, dans la petite maison située à l'écart de l'agglomération.

Séverine éprouvait, à la perspective de les voir ensemble, une douloureuse impatience. Il lui semblait que à leur comportement, à l'expression de leurs visages, elle arriverait à déceler ce qu'elle désirait tant savoir... et que ne lui livraient ni le visage fermé, ni le regard insondable d'Olivier. Celui-ci continuait :

— Tout sera prêt pour donner satisfaction à nos invités et désarmer toutes les critiques. Grand-mère est aux anges ! Je n'en dirai pas autant d'Aurélie !

La vieille servante, en effet, ne décolérait pas car on lui avait adjoint une aide — payée par Olivier, comme le jardinier — une brave fille sans malice, à qui elle menait la vie dure.

— Elle s'y fera !

Il rit, puis continua :

— Avant la réception, il me faut aller à Paris. J'y resterai deux ou trois jours mais ne vous inquiétez pas, je serai de retour à temps pour tout mettre au point.

Soupçonneuse, Séverine demanda :

— Qu'as-tu besoin d'aller à Paris ?

Pourquoi lui venait-il l'idée absurde que ce déplacement avait un rapport avec les enquêtes d'Olivier dans les archives du journal et concernait la conduite d'Arlène ? Il se passait la main dans ses cheveux abondants où quelques mèches rappelaient encore la blondeur prématurément disparue.

— Les affaires, mon ange ! dit-il. La chose la plus ennuyeuse qui soit au monde.

Puis il la prit par le bras :

— Rentrons ! Tu es toute pâle, tu parais avoir froid. Il serait désastreux que tu tombes malade !

Il l'entraîna vers la maison. Le vent jouait à cachette dans les ormeaux et les noisetiers. Le soleil à présent déclinait tandis que le petit parc, peu à peu, glissait dans l'ombre.

CHAPITRE V

Dans l'attente du jour de la réception, on laissa ouvertes tous les jours les fenêtres du grand salon afin de l'aérer, de chasser l'odeur de renfermé et d'y faire entrer le soleil. Bien nettoyées, les tentures et les tapisseries des fauteuils reprenaient leurs délicates couleurs.

Surveillée attentivement par Olivier revenu de Paris après une courte absence, les préparatifs de la fête se poursuivaient ; ce serait, très classiquement, un cocktail pour lequel les invités étaient conviés de cinq à huit heures. La toilette que porterait Mme Bréval avait fait l'objet d'une étude minutieuse. Refusant formellement qu'Olivier la conduisît chez une couturière comme il le proposait, elle déclarait :

— J'ai plus de vêtements que je n'en userai de ma vie ! Et les modes d'aujourd'hui ne me plaisent pas. J'entends m'habiller à mon idée...

Si elle admettait, quoique à regret, que Séverine portât « jeans » et pantalons, elle ne faisait pour elle-même aucune concession à ses conceptions de l'élégance. Son choix s'était finalement porté sur une robe de velours noir, qui, bien des années plus tôt, lui avait valu beaucoup de compliments et seyait encore à son teint demeuré frais et à ses cheveux de neige.

— Ma taille n'a pas épaissi d'un centimètre, fit-elle remarquer avec une fierté naïve.

Quant à Séverine, elle mettrait la robe rapportée de Paris à son intention par Olivier et qui témoignait d'un goût raffiné. La nuance verte, la forme semblaient avoir été conçues pour la carnation et la silhouette de la jeune fille, le décolleté arrondi mettait en valeur son élégant port de tête ; quand elle l'eut revêtue le moment venu, le miroir lui renvoya une image qui lui donna satisfaction.

Cependant, à mesure qu'approchait l'heure où allaient arriver les premiers invités, elle ne pouvait s'empêcher de se sentir inquiète. Elle se demandait comment allait se dérouler la réception, si, parmi les assistants, quelqu'un ne laisserait pas échapper une phrase malheureuse, une remarque désobligeante qui déplût à Olivier et lui fît perdre son contrôle.

Autrefois, en effet, il lui suffisait de peu pour exciter sa colère et qu'il se montrât insolent. Il pouvait, aujourd'hui, y avoir matière à bien des froissements.

Quand elle descendit de sa chambre, le jeune homme était dans le salon, très beau dans le smoking qui accentuait l'élégance de sa haute silhouette aux larges épaules, à la taille mince. Ses cheveux entouraient son visage d'une sorte de casque où se mêlaient l'or et l'argent. Avec son habituelle aisance il s'approcha de Séverine.

— Tu es ravissante ! dit-il. Et ce n'est pas un compliment, mais l'expression exacte de la vérité.

Elle rosit et sourit.

— Merci. C'est à la robe que je le dois.

— Oh ! la robe n'est qu'un accessoire.

Il l'embrassa sur le bout du nez.

— Souris encore ! Je n'avais pas remarqué que tu avais cette fossette dans la joue...

— Menteur ! Tu t'en moquais assez autrefois en disant que cela me faisait une figure de travers !

Puis elle ne put s'empêcher de laisser percer son appréhension :

— Tu crois que cela va bien se passer ?

Il leva les sourcils.

— Mais certainement ! Pourquoi n'en serait-il pas ainsi ?

— Parce que...

Devinant sa pensée, il l'interrompit :

— Rassure-toi. Quels que puissent être les propos j'ai décidé d'être parfaitement aimable et courtois. De me conduire avec toute l'hypocrite politesse de l'homme civilisé que je suis redevenu.

En bon maître de maison, Olivier alla jeter ensuite un dernier coup d'œil au buffet abondamment garni près duquel attendaient les extras bien stylés. Aurélie, revêche et Emma, la jeune servante, intimidée, toutes les deux portant tablier blanc, s'occuperaient du vestiaire.

Des fleurs de serre, roses et lilas, fournis par un fleuriste, et des feuillages d'automne aux riches couleurs, cueillis par Séverine dans le parc de La Roselière, décoraient le salon et le hall d'entrée, leur donnant un air de fête.

— Tout me paraît en ordre, dit le jeune homme. Et nul ne pourra dire que nous avons lésiné sur le champagne ou le caviar.

Mme Bréval parut à son tour, charmante comme une image d'autrefois dans son velours noir, un fil de perles au cou et exhalant son habituelle odeur de violettes. Elle exprima la même crainte que Séverine.

— Tu seras calme, n'est-ce pas ? Calme et poli.

— Mais certainement ! Je m'y engage formellement !

Olivier mit en marche l'électrophone récemment acquis, qui commença à diffuser en sourdine des airs de musique douce et les premiers invités arrivèrent.

Au début, ils ne surent quelle contenance observer. La plupart venaient assurément dans un esprit de critique et de dénigrement ; certains se promettaient même de lui poser des questions sur sa fortune si miraculeusement augmentée durant sa captivité ; mais les uns et les autres s'en laissèrent vite imposer par cet homme au visage marqué sous ses cheveux prématurément gris et dont le regard ironique décourageait toute velléité d'inquisition. Ils gardèrent leurs réflexions pour eux.

Les amis d'autrefois ne reconnaissaient pas, dans cet étrange revenant, leur ancien compagnon de plaisir ; après lui avoir tapé sur l'épaule ils s'écartaient avec gêne. Seules les filles avaient toujours pour lui le même regard subjugué.

Olivier se conduisait de façon parfaite et nul n'eût trouvé à reprendre à ses manières. Il baisait la main des dames, serrait celle des hommes, en prononçant des paroles d'accueil, et souriait de son séduisant sourire. On l'interrogeait sur son aventure, dont le romanesque excitait l'imagination de tous, surtout des femmes qui auraient aimé en entendre le récit.

Mais le jeune homme esquivait les questions, ou y répondait brièvement ; et même ceux qui ne l'avaient pas aimé et gardaient le souvenir de ses incartades passées, ne pouvaient s'empêcher d'être impressionnés par sa nouvelle personnalité.

Peu à peu, à mesure que sautaient les bouchons de champagne, l'atmosphère se détendait. Libérée de son anxiété, Mme Bréval s'épanouissait. Quant à Séverine elle recueillait de nombreux regards admiratifs. Profitant d'un moment où Olivier ne se trouvait pas entouré, la jeune fille s'approcha de lui, entraînant François Lomond par la main.

— Olivier, dit-elle, je te présente François Lomond, mon fiancé.

— Ravi de vous accueillir, dit Olivier, la main tendue.

— Enchanté, répondit François du bout des lèvres.

C'était l'instant délicat ; Séverine le redoutait et elle surveillait anxieusement l'expression des deux hommes. Ils se serraient la main en se dévisageant mutuellement. A côté de François, déjà un peu épais, qui n'était pourtant l'aîné d'Olivier que de deux ou trois ans, ce dernier paraissait plus mince encore, plus racé. François dégageait une impression de solidité, d'équilibre ; d'Olivier il irradiait un magnétisme, une séduction incomparables. Avec l'amabilité de circonstance, il assura :

— Je suis content de faire la connaissance de celui qui va devenir l'époux de ma petite cousine.

Son sourire invitait à la réciproque, mais François garda une attitude gourmée.

— Merci, dit-il avec froideur. Nous ne nous étions jamais rencontrés encore, n'est-ce pas, bien qu'habitant la même région ? Je n'ai pas souvenir de vous avoir vu.

— Il ne me semble pas non plus.

— Nous ne fréquentons pas, évidemment, les mêmes endroits, et nos amis étaient différents, compléta François qui, après un silence, ajouta :

— Mais, évidemment, j'avais entendu parler de vous.

Le ton manquait de cordialité. Il était visible qu'entre les deux hommes la sympathie ne jaillissait pas. Séverine soupira.

— Nous avions d'autant moins de chance de faire connaissance que vous étiez parti pour cette expédition en Asie. Drôle d'idée, à mon avis !

A ce moment, une de ces jeunes écervelées que visiblement subjuguait Olivier, prit part sans vergogne à la conversation.

— Oh ! monsieur Dormeuil, dit-elle en minaudant, vous avez dû vivre des péripéties prodigieuses ! Ces aventures qui vous sont arrivées sont sûrement plus passionnantes que celles qu'on lit dans les romans, ou qu'on voit dans les films.

Elle imaginait l'histoire d'Olivier à la mesure de sa petite cervelle, avec de l'action, des combats épiques, et naturellement de belles et mystérieuses héroïnes intervenant à propos. Elle contemplait avec des yeux fascinés celui qui devait avoir vécu une telle épopée.

— Vous devriez écrire vos souvenirs ! ajouta-t-elle.

Olivier eut un geste vague.

— Un jour, peut-être. Pas maintenant. Beaucoup plus tard. Certains épisodes pénibles sont encore trop proches.

D'un ton pénétré, elle approuva :

— Je comprends...

Mécontent de voir ainsi Olivier monopoliser l'attention, François prit la parole.

— Moi, dit-il, je ne suis pas un homme d'aventure, mais d'ordre, de bon sens, de raison, et les aventuriers, gens généralement peu recommandables, ne m'inspirent ni estime ni intérêt. J'aime les occupations régulières. Un travail honorable, un foyer tranquille, où les jours s'écoulent paisiblement. Voilà mon idéal de vie... Les voyages lointains ne m'ont jamais tenté. Il y a, Dieu merci, assez d'endroits où passer ses vacances sans aller au bout du monde ! Peu m'importent ce que font, dans la lointaine Asie, ces hordes aux yeux bridés ! Ce n'est pas mon affaire. Il me suffit de les voir au cinéma ou à la télévision.

Il tenait à montrer à l'individu douteux, devant lequel se pâmait cette bécasse, que son expédition ne l'impressionnait en aucune façon. L'étourdie hocha la tête.

— Oh ! naturellement, dit-elle, il y a le cinéma, la télévision, et surtout la lecture qui apportent à ceux qui ne peuvent les vivre, l'évasion, le romanesque, dont nous avons tous besoin. Si M. Dormeuil fait un livre, je le lirai avec passion. D'ailleurs, je...

A nouveau, François l'interrompit pour affirmer d'un ton coupant.

— Je lis peu, sinon les journaux. Pourquoi perdre son temps à lire des romans ou des récits plus ou moins romancés, présentés comme authentiques, et qui ne sont, en réalité, que des contes à dormir debout ? Exemple, les histoires dont nous ont inondés certains évadés du bagne.

Son visage déjà coloré s'empourprait. Sur sa lancée, il continuait :

— Je juge ce romanesque, dont vous faites l'apologie, inutile, pour ne pas dire néfaste ! Seule compte pour moi une existence basée sur la dignité, le respect des valeurs morales. Le reste n'est que fariboles !

Il parlait avec l'autorité que donne la certitude de détenir la vérité. Un serveur s'approcha, portant un plateau garni de coupes de champagne ; il en prit une machinalement. Puis toujours résolu à réfuter les arguments de la jeune fille éprise de romanesque et d'aventure, il poursuivit, sa coupe à la main.

— Dans ces équipées aventureuses dont on nous rebat les oreilles, on ne nous montre que l'extérieur, le côté favorable. Je suis persuadé que s'y dissimulent bien des épisodes plutôt déshonorants, voire même honteux.

Dans son acharnement, il oubliait la politesse, le savoir-vivre et même la bonne éducation. La conversation mondaine tournait à l'affrontement. Séverine voulut intervenir. Nerveuse, elle l'interrompit avec nervosité.

— Voyons, François, ne parlez pas ainsi ! Vos mots déforment votre pensée, j'en suis sûre.

Sans l'écouter, plus pontifiant, plus doctoral encore, il reprit :

— La moralité, la décence sont les principes fondamentaux de la société. Sans eux, c'est l'anarchie, la fin de la famille. Fidélité, honneur, respect des lois, voilà mes règles de vie.

Les mots dans sa bouche se suivaient comme les formules du code, récitées lors de la rédaction d'un acte notarié. Séverine regardait son fiancé avec consternation. Elle souffrait qu'il se rendît ainsi ridicule et de voir briller dans les yeux d'Olivier une lueur trahissant son amusement.

Certes, elle savait François conventionnel, d'esprit étroit, imbu de préjugés et ennemi de toute fantaisie, mais sans s'être encore rendu compte à quel point. Elle n'imaginait pas qu'il puisse se livrer à une pareille profession de foi. Evidemment, il exagérait son conformisme pour mieux contredire Olivier.

La jeune fille avait espéré que naîtrait une amitié entre les deux hommes, mais elle s'apercevait avec chagrin qu'il lui fallait y renoncer. L'antagonisme qui les opposait avant même qu'ils se connaissent ne cesserait pas. Ils étaient trop différents l'un de l'autre, de caractère, de nature. Et une raison cachée, informulable, les dressait l'un contre l'autre.

L'OISEAU DE PASSAGE

Jusque-là, Olivier avait écouté la diatribe en silence, sans sourciller, mais le pli ironique qui parfois creusait ses lèvres les relevait depuis un bon moment. Toutefois, fidèle à sa promesse de se montrer courtois et conciliant, il ne releva pas ce qu'il y avait d'offensant pour lui dans les propos tenus par François. Très calme, il répondit en souriant :

— Vous parlez d'or, mon cher. Encore faut-il que vos paroles soient entendues et ne se perdent pas dans le désert. Vous ne vous étonnerez pas, je pense, que je ne partage pas vos vues ? J'ai toujours eu l'amour du risque, du danger : vous ne m'en ferez pas changer. J'ajoute que vos conceptions de vie me paraissent bien austères ! Personnellement, j'estime au contraire qu'il faut du nouveau, qu'un peu d'imprévu est nécessaire. Que serait une existence dépourvue de toute fantaisie ? Une morne succession de jours...

Il sortit de sa poche un étui en or qu'il passa à la ronde, et alluma lui-même une cigarette dont il tira une bouffée, puis il reprit :

— L'aventure est une source de connaissances. Elle nous offre un autre aspect des choses, une manière différente de penser, de vivre.

— Les miennes me suffisent, merci bien, grommela François, aigrement.

— Peut-être êtes-vous sage, ou fou, qui le sait ? Moi je trouve l'aventure exaltante, excitante.

François haussa les épaules.

— Même quand elle se termine mal ? J'ai peine à le croire !

Persuadé d'avoir eu le dernier mot, il se décida à boire son champagne et reposa sa coupe vide sur une console.

Olivier continuait :

— Malgré ses côtés pénibles, parfois douloureux, ce fut une expérience extrêmement enrichissante, qui m'a appris beaucoup de choses sur la vie et le cœur des hommes. Elle m'a, en quelque sorte, révélé à moi-même.

Il parlait d'une voix rêveuse, comme lointaine. Les yeux encore posés sur lui, l'étourdie à l'origine de la controverse demanda :

— Etes-vous revenu pour toujours, ou comptez-vous repartir bientôt ?

Olivier regarda la fumée de sa cigarette s'étirer dans l'air en formant un point d'interrogation.

— Je l'ignore, dit-il.

La jeune fille soupira.

— Moi, j'adorerai courir le monde, mais à condition de le faire à mon gré, non pas en voyage organisé. Ce doit être merveilleux d'aller d'un pays à l'autre, d'être ici, là, demain ailleurs, sans autre raison que son caprice, comme un oiseau qui ne fait que passer, se posant pour s'envoler ! Quelle vie magnifique ce doit être !

Ses yeux extasiés disaient qu'elle n'aurait pas demandé mieux que d'accompagner cet oiseau de passage.

Tandis que le visage de François s'éclairait à la perspective qu'Olivier pût bientôt s'en retourner vers quelque région lointaine, et peut-être y rester, Séverine, en pensant que son cousin projetait sans doute un nouveau départ, sentait un grand froid l'envahir. Elle pouvait difficilement envisager une vie où il ne serait plus là, où il aurait emporté cette ardeur, cette sorte de griserie que lui communiquait sa présence.

Cependant, les parents de François s'étaient approchés. En regardant Me Lomond, encore bel homme quoique trop corpulent et le cheveu rare, on se représentait sans peine ce que serait son fils quand il aurait son âge.

Quant à Mme Lomond, insignifiante, effacée, le visage terne et toujours vêtue de robes qui ne lui allaient pas, elle semblait ne vivre et ne respirer qu'avec la permission de son mari. Chaque fois qu'elle se hasardait à prononcer quelques mots, elle guettait son approbation du regard.

Elle devait représenter pour François l'image de l'épouse idéale, soumise, admirant son mari et se soumettant sans discuter à ses arrêts. Un modèle auquel il aurait voulu conformer cette Séverine dont il s'était malencontreusement épris.

Le frère de Mme Lomond, Arsène Laroche, les accompagnait. Long et maigre, entièrement chauve, de grosses lunettes de myope lui faisaient des yeux de hibou et ses énormes mains de bûcheron contrastaient avec sa stature frêle. Les présentations eurent lieu. Sans doute prévenus contre lui, ils observaient tous Olivier avec une certaine méfiance. A la froideur de leur attitude envers Séverine, on devinait aisément que le projet de mariage de leur fils ne les enchantait guère et qu'ils ne s'y résignaient que contraints et forcés. La conversation avait du mal à démarrer. Pour la dégeler un peu, Olivier ne trouva d'autre solution que d'entraîner le groupe vers le buffet.

A cet instant, ayant soigné son entrée comme une vedette de théâtre ou de cinéma, Arlène Rouvier fit son apparition.

* * *

Elle portait ses cheveux artificiellement blondis relevés très en hauteur, en une coiffure savante, une robe noire brodée d'or à l'encolure affinait sa silhouette, faisant ressortir l'éclat de son visage fardé avec art ; un clip de diamant ornait une de ses épaules. A sa vue les assistants s'arrêtèrent de manger, de boire ou de parler.

La jeune femme posa quelques secondes sur le seuil de la pièce, pour se faire admirer, puis avança à pas comptés, d'une démarche étudiée de mannequin, sans être le moins du monde intimidée par tant de regards. Balourd, emprunté, un des invités vint à elle.

— Quelle jolie robe, chère madame ! dit-il. Et comme elle vous va bien.

Tous les hommes apparemment étaient de cet avis, mais les femmes pinçaient les lèvres et se rapprochaient de leurs maris comme pour les protéger de la séduction de l'éblouissante veuve.

— Merci, répondit Arlène en souriant. Elle vient de Paris.

Séverine se demanda si Olivier ne l'avait pas achetée en même temps que sa propre robe. Elle chercha des yeux son cousin, mais ne fit qu'entrevoir son profil, sans arriver à rien distinguer de son expression. Il en fut de même quand le jeune homme, obéissant à ses devoirs de maître de maison, accueillit Arlène.

Ils entamèrent une conversation animée, qui ne pouvait être que banale : trop de gens les guettaient, trop d'oreilles les écoutaient. Et puis, peu à peu, l'intérêt se dispersa, on cessa de surveiller ce couple qui avait fait scandale six ans plus tôt.

Arlène Rouvier se trouva bientôt entourée d'un cercle d'admirateurs, et Olivier, pris à nouveau par ses obligations d'hôte, s'occupa de ses invités. Mais si quelqu'un, à l'instar de Séverine, eût épié les faits et gestes d'Arlène s'efforçant par tous les moyens de se rapprocher d'Olivier, l'observateur eût remarqué que le jeune homme ne se prêtait guère à ses manœuvres.

Arlène réussit cependant à l'attirer dans un angle isolé de la pièce, où, à demi dissimulés par une tenture, ils pouvaient parler sans risquer d'être entendus. L'attention de Séverine ne les quittait cependant pas. Elle se déplaça même légèrement pour mieux les voir, et elles constata que si Arlène parlait avec animation, souriait et minaudait, se montrant en un mot aussi provocante qu'on peut l'être en public, Olivier ne semblait guère y prendre garde. Il souriait, de ce sourire si particulier, qui, creusant un pli dans sa joue, ajoutait à son charme, mais son attitude ne dépassait pas l'amabilité de mise envers une invitée agréable. Cela, visiblement, décevait Arlène ; son sourire se crispait, elle perdait peu à peu de son assurance, et même, eût-on dit, de sa beauté.

De sa place, Séverine cherchait à deviner ce qu'ils se disaient, quels propos ils échangeaient, et ne répondait plus que distraitement à François ; celui-ci s'en irrita.

— Où êtes-vous donc ? dit-il. Cela fait deux fois que je vous parle sans obtenir de réponse. C'est agaçant, à la fin !

— Oh ! excusez-moi.

Invinciblement, ses yeux revenaient vers l'endroit où se tenaient Arlène et Olivier. François suivit ce regard, et la vue des jeunes gens l'un près de l'autre attisa encore sa mauvaise humeur.

— Votre cousin me paraît revenir à ses premières amours, remarqua-t-il méchamment. J'espère qu'il ne va pas recommencer à s'afficher avec Arlène Rouvier, pour réveiller le scandale de ce crime jamais éclairci ! Ce serait très préjudiciable à nos projets !

C'était plus fort que lui : obsédé par son souci de respectabilité, il ne savait rien voir d'autre que son propre point de vue.

— Les choses n'étaient déjà pas si faciles ! poursuivit-il. J'avais enfin réussi à convaincre mes parents. Tout risque d'être remis en question. Dieu ! pourquoi votre cousin est-il revenu ? Il aurait mieux fait de rester où il était !

Il marqua un temps et ajouta :

— Je vais vous quitter. Mes parents me font signe qu'ils veulent partir. Et l'oncle Arsène n'a pas l'air bien.

Arsène Laroche avait sans doute un peu abusé du champagne généreusement servi au buffet, car son élocution devenait embarrassée, et derrière ses lunettes, ses yeux étaient troubles. Mais les Lomond jetaient un voile pudique sur ce qu'ils considéraient comme de légers écarts ; on parlerait, comme d'habitude, d'une crise de paludisme, ou d'une fièvre quelconque. Séverine accompagna ses futurs beaux-parents, toujours fort réservés à son égard, jusqu'à leur voiture et revint au salon.

Arlène et Olivier ne se trouvaient plus ensemble dans l'angle de la pièce propice aux confidences ; la jolie veuve se tenait à présent près du buffet, et un des anciens amis d'Olivier, de ceux qui, autrefois, le suivaient partout, participant à ses frasques et profitant de sa générosité, était près d'elle. En s'approchant, la jeune fille put surprendre la majeure partie de leur conversation.

— Alors, belle dame, disait le garçon, que pensez-vous de notre revenant ? Vous paraissez déçue ! Le cher ami serait-il devenu rebelle à votre séduction ?

Oubliant momentanément sa ligne, pour se donner une contenance, plus que par envie, Arlène se mit à grignoter un sandwich au foie gras.

— Ce n'est pas cela, je le trouve changé, dit-elle songeuse. Changé d'une façon incroyable ! Au point d'avoir peine à le reconnaître. Ses cheveux grisonnent, il a vieilli... Cela s'explique par les années écoulées, mais ses façons elles-mêmes sont différentes ! On dirait vraiment un autre homme !

Elle s'arrêta de grignoter son sandwich, les sourcils froncés ; son visage exprimait la perplexité. Son interlocuteur approuva vigoureusement.

— C'est également mon avis. On a du mal à retrouver le joyeux garçon facile à vivre d'autrefois.

Il fit une grimace.

— J'ai essayé de lui dire que j'avais perdu de l'argent en jouant au poker dans un des clubs que dans le temps nous fréquentions ensemble... Il a fait semblant de ne pas comprendre, et m'a regardé d'un air tel que j'en ai eu le souffle coupé !

Il paraissait écœuré à la pensée de ne plus oser taper celui qui autrefois le renflouait toujours quand il perdait au jeu.

— Il m'a fait une impression bizzare, poursuivit-il. Pour tout vous dire, Arlène, cet homme qui est revenu ne ressemble guère à celui qui est parti.

Il se tut quelques instants, puis dans un effort de compréhension, reprit :

— Il est vrai qu'il a dû en voir de toutes les couleurs durant ces années de captivité ! Surtout s'il a été enfermé dans ce qu'ils appellent des « cages à tigre ». Cela transforme un homme, lui endurcit le cœur. Il y a de quoi...

— Oui, dit Arlène. Mais il m'a aimée, passionnément, cela ne s'efface pas, et il ne saurait l'oublier. Il me reviendra aussi épris que par le passé, vous verrez...

L'OISEAU DE PASSAGE

Son interlocuteur la considéra avec un peu d'ironie.

— Vous paraissez très sûre de vous !

— J'ai des raisons de l'être ; je dois le revoir demain.

Un sourire orgueilleux détendait les lèvres bien fardées ; tout en elle montrait l'assurance, la certitude d'être aimée, désirée...

CHAPITRE VI

Rassasiés de caviar, de foie gras, de champagne et de potins, ayant récolté assez de renseignements sur l'aspect et le comportement d'Olivier Dormeuil pour en alimenter toute la ville, les invités commencèrent à s'en aller. Les formules de politesse en usage s'échangèrent. Arlène Rouvier prit congé avec beaucoup de grâce non sans adresser à Olivier un regard langoureux, en lui murmurant :

— A bientôt.

L'ancien ami d'Olivier l'escortait. Décidé à préserver ses chances pour l'avenir, il lui serra chaleureusement la main et affirma :

— Je suis vraiment heureux de t'avoir revu, mon vieux. Très réussi ton petit raout. Le champagne était excellent. Je m'inscris pour le prochain.

Il cligna de l'œil.

— Dis-moi, aussi sérieux que tu paraisses être devenu, tu dois avoir quand même envie de t'amuser un peu, de jouer aux cartes comme tu aimais tant le faire... Nos lieux de réunion sont demeurés les mêmes, tu sais. On ne t'y a pas oublié, et tu serais le bienvenu.

Il espérait fermement qu'Olivier reprendrait les habitudes de « flambeur », si profitables au groupe de parasites qui l'entourait.

— Peut-être irai-je un de ces soirs, répondit Olivier.

L'autre sortit enchanté de cette demi promesse. Le salon s'était peu à peu vidé. Mystérieusement surgi, Vaurien circulait parmi les assiettes, et, d'une patte agile crochait, çà et là, une tartinette oubliée. Dans le petit salon transformé en vestiaire où il ne restait plus aucune des vestes ou étoles de fourrure, Aurélie enlevait son tablier blanc en maugréant que, tout cela, « c'était bien des embarras ». Emma, la petite servante aux joues rondes, que morigénait sans cesse Aurélie, s'en allait rapidement enlever ses beaux souliers neufs, dans lesquels, victime d'une coquetterie passée du reste inaperçue, elle avait souffert toute la soirée.

— Vous êtes contente, grand-mère ? demanda Olivier affectueusement, après avoir accompagné le dernier invité.

— Très contente, dit Mme Bréval. Cela m'a rappelé le bon vieux temps.

Malgré le voisinage flatteur du velours noir, son visage paraissait fatigué, mais elle rayonnait de satisfaction, à la fois pour s'être retrouvée dans une ambiance mondaine dont naguère elle raffolait, et parce que la réunion s'était déroulée sans l'esclandre qu'elle redoutait. Pour n'y avoir pas assisté, elle ignorait la conversation acerbe échangée entre Olivier et François Lomond.

— J'ai été convenable, n'est-ce pas, dans mon rôle de maître de maison ? reprit Olivier.

— Tout à fait convenable.

— Je tenais à montrer que dans la jungle où j'ai vécu, je n'avais pas oublié certaines notions de savoir-vivre.

Mais il était temps que ça finisse : je n'en pouvais plus.

— Nos invités étaient enchantés !

— Cela ne les empêchera pas de clabauder à l'envi, murmura le jeune homme.

Sans l'entendre, la vieille dame observa d'un air soucieux :

— Mais j'ai trouvé les Lomond peu aimables. Et ils sont partis assez tôt.

Puis, le visage éclairé de malice, elle ajouta :

— Il est vrai qu'Arsène Laroche était fort éméché.

Elle eut un petit rire indulgent.

— Ce n'est pas la première fois que cela lui arrive et comme en d'autres occasions, on invoquera un malaise, on parlera de crise de paludisme... Pour des gens aussi imbus de respectabilité que les Lomond, l'oncle Arsène est une épine dans le pied ! Mais, évidemment, on supporte beaucoup de choses d'un parent à héritage ! Et Arsène Laroche, demi-frère de Mme Lomond, est très riche.

Elle bâilla discrètement derrière sa main.

— Je suis fatiguée. Je ne dînerai pas. Si vous voulez qu'Aurélie vous prépare quelque chose, un potage, par exemple, vous n'avez qu'à le lui demander.

— Je ne pourrais rien avaler, dit Séverine.

— Moi non plus, ajouta Olivier.

— Bien. Je vais me coucher. A demain, mes enfants.

Elle s'éloigna et les jeunes gens restèrent seuls.

Dans le grand salon, si animé peu d'instants avant, on n'entendait plus le bourdonnement des voix, les éclats des rires, les détonations des bouchons de champagne, mais seulement le bruit que faisaient les extra en emballant avec dextérité le matériel et la vaisselle pour les remporter.

Les fleurs se fanaient, les roses perdaient leurs pétales, les lilas de serre penchaient la tête. La pièce prenait cet air de tristesse qui suit d'ordinaire la fin d'une fête. Les parfums qui tout à l'heure embaumaient les femmes, ne laissaient plus que d'écœurants relents. Dans un angle, ayant fait un repas de reliefs savoureux, Vaurien procédait à une toilette soignée.

— On étouffe, ici, dit Olivier.

Pour chasser la fumée et les odeurs diverses, il ouvrit la fenêtre, et s'aperçut qu'il pleuvait ; chaque goutte en tombant semblait sonner le glas du bel été.

— Cette fois, c'est l'automne, annonça le jeune homme.

Revenant à Séverine, il s'enquit :

— Alors, mon ange, ma réception t'a-t-elle plu ? Me suis-je comporté comme tu le voulais ?

— Oui, oui, bien sûr !

— En tout cas, tu ne peux pas me reprocher d'avoir manqué de patience envers ton fiancé, qui m'a littéralement provoqué !

Elle murmura, tête basse :

— Non, ce serait injuste. Tu n'es à blâmer en rien. Tu t'es conduit d'une façon parfaitement correcte.

— Je suis heureux de te l'entendre dire car j'ai dû beaucoup prendre sur moi. Certains propos de ton François auraient mérité d'être vertement relevés.

— Je reconnais qu'il ne s'est pas montré courtois, déplora la jeune fille. Je ne sais ce qui lui a pris ! J'ai été moi-même surprise de son attitude.

Elle n'imaginait pas, en effet, que François pût à ce point se départir de ce calme, de ce self-contrôle qui sont les règles fondamentales de sa profession.

— Il te déplaît, n'est-ce pas ?

L'OISEAU DE PASSAGE

— Mon cœur, je mentirai en disant que je raffole de ce garçon imbu de lui-même, bourré de préjugés, dépourvu de tout sens de l'humour et ennuyeux à périr. Je t'avoue qu'il m'a prodigieusement agacé avec son air supérieur, et la certitude de détenir la vérité infuse.

Elle soupira.

— J'espérais que vous deviendriez amis.

— Ma douce, il n'y faut pas trop compter ! Ça me paraît plutôt mal parti ! Remarque que je n'y aurais pas vu d'inconvénient, mais tu as pu constater toi-même que M. François Lomond n'a fait aucun effort pour gagner ma sympathie — bien au contraire !

Elle ne protesta pas, quelques instants s'écoulèrent. Il alluma une cigarette, et tout en la regardant d'un air songeur, demanda :

— Dis-moi, Séverine, est-ce que tu aimes ce garçon ?

Elle se redressa et répondit d'un ton de défi :

— Pourquoi ne l'aimerais-je pas ? Il est bel homme, recherché par toutes les filles de la région. Il est très flatteur d'avoir été choisie par lui.

Elle parlait avec colère. Cette agressivité, qui si souvent la prenait en présence d'Olivier la poussait à nouveau. Sans cesser de la tenir sous son regard, il hocha la tête.

— Evidemment, ce doit être une conquête enviable pour une fille vaniteuse. Mais je ne te voyais pas ainsi… Alors, tu désires vraiment épouser François Lomond ?

Elle se mordit les lèvres.

— Au début, c'était surtout le désir de grand-mère plus que le mien ; il lui semblait prodigieux que François Lomond, la coqueluche des demoiselles à marier, se soit intéressé à moi. Riche, beau, il représentait pour elle le mari rêvé.

— Mais toi ?

— Moi ? répéta-t-elle.

— Oui, toi. Dans l'affaire, tu es tout de même la principale intéressée ! C'est toi qui te maries, personne d'autre.

Elle réfléchissait, cherchant en elle-même les raisons qui lui avaient fait accepter de devenir la femme de François Lomond. Certes, elle voulait contenter et rassurer sa grand-mère, soucieuse de son avenir ; mais il y avait aussi la satisfaction vaniteuse de l'emporter sur les autres filles qui la traitaient de haut, avec un certain mépris... et surtout, en entrant dans cette famille tellement estimée, le sentiment d'une revanche sur les humiliations subies à cause d'Olivier. Assez vite elle s'était donc mise à considérer le fils du notaire comme son futur compagnon de vie.

— Je t'ai demandé si tu aimais François et tu ne m'as pas répondu, insista Olivier.

Elle hésita. Un souci de sincérité la fit expliquer :

— Cela m'est difficile de te répondre, et je crains que tu ne comprennes pas mes sentiments. Tout d'abord, j'ai pour François de la reconnaissance pour m'avoir préférée, moi sans fortune, à toutes ces filles riches acharnées à le conquérir. Il m'a revalorisée à mes yeux. Je l'aime bien, beaucoup même, mais prétendre que je suis follement amoureuse de lui serait excessif.

Elle s'interrompit. Décrire ce qu'elle éprouvait pour François était ardu.

— Je tiens à lui, je ne voudrais pas le perdre ni le laisser à une autre. Il est ... rassurant, sécurisant. Ce sera un mari solide et fidèle. Auprès de lui, je n'aurai rien à craindre. Il se chargera d'écarter de moi les difficultés, les problèmes.

Elle aurait pu ajouter « Imagines-tu ceux auxquels nous avons dû faire face, grand-mère et moi, pendant ton absence ? Ceux qui se présenteront à nouveau, si tu repars, comme tu le feras peut-être, après t'être posé un moment, comme un oiseau qui ne s'arrête nulle part ? »

— Mais, où est l'amour dans tout cela ? demanda Olivier.

La jeune fille eut un geste vague.

— L'amour n'est pas indispensable dans un ménage.

Doucement, Olivier observa :

— Rien n'est triste comme un mariage de raison, Séverine. Es-tu bien sûre d'être heureuse dans ces conditions ?

Elle soupira encore. La fatigue et les émotions de la journée pesaient soudain lourdement sur elle.

— Pour te répondre, dit-elle, il faudrait pouvoir donner une définition parfaite du bonheur. Or, c'est impossible, car cela dépend des caractères. Pour certains, c'est d'abord et avant tout l'aisance matérielle, le confort, la considération, l'estime, la paix et la stabilité sentimentale.

Elle répétait sans s'en rendre compte les principes énoncés un peu plus tôt par François, qui rappelaient les arguments employés par Mme Bréval pour persuader Séverine d'épouser le futur notaire. Or, si une partie d'elle-même souscrivait à ce programme, une autre, pleine de feu, d'ardeur à vivre, protestait en se plaignant. Une fois de plus, elle fit taire cette moitié d'elle-même.

— Ce n'est pas un idéal de vie très enthousiasmant, objecta Olivier.

Agressive à nouveau, elle riposta :

— C'est celui de la plupart des femmes. Il y a aussi, bien sûr, celles qui préfèrent les tumultes et les aléas de la passion avec ce que cela comporte d'incertitudes et de danger.

Elle secoua la tête, et ses cheveux volèrent autour de son visage tandis qu'elle continuait :

— L'amour est comme un torrent au cours instable et capricieux. Il vous emporte et vous entraîne avec ses périls, ses risques de tempête. L'orage me fait peur, Olivier et je crains la tempête...

Les mots s'enchaînaient, comme mus par une force étrangère ; la conclusion vint tout naturellement.

— C'est pourquoi je tiens à épouser François Lomond.

Olivier attendit d'avoir tiré une bouffée de sa cigarette pour répondre :

— En effet, si tu aimes par dessus tout la considération et la stabilité, tu as parfaitement raison d'épouser François. Le fait que ce garçon ne me plaise que modérément n'a aucune importance, et tu n'as pas à en tenir compte.

Il paraissait lointain, indifférent. Son irritation tombée, elle le regarda. Elle ne pensait pas qu'il abandonnerait ainsi la partie, mais, au contraire, tenterait encore de lui faire renoncer à son projet de mariage. Dépitée, elle se tut. Il y eut une pause durant laquelle on n'entendait que le bruit monotone de la pluie qui tombait sur les feuilles.

L'odeur de la verdure mouillée et de la terre humide entrait par les fenêtres ouvertes ; la mélancolie de l'automne déjà se faisait sentir. Olivier fuma quelques instants en silence, puis d'un ton détaché observa :

— Les parents de François Lomond ne m'ont pas paru très... chaleureux.

— Non, dit-elle, avec amertume, ils ne le sont pas. Je crois même qu'une rupture entre leur fils et moi est leur plus cher désir. Tu comprends, François peut prétendre à un beau parti, ce que je ne suis certes pas !

Elle serra les lèvres pour ne pas ajouter :

« En outre, il y a le scandale causé par cette accusation de meurtre dont tu as été l'objet et qui, en tant que parente portant le même nom, me déprécie. Le temps avait un peu amorti les choses, mais ton retour les a ranimées. »

Elle dit seulement :

— François ne veut pas renoncer à moi et tient tête à ses parents.

Olivier n'insista pas, soit qu'il eût compris ce qu'elle taisait, soit que le sujet eût cessé de l'intéresser. Ce fut Séverine qui reprit la parole.

— Eh bien, dit-elle avec une désinvolture feinte, tu as retrouvé tes anciens amis ! Quel effet cela t'a-t-il produit ?

Il lança une bouffée de fumée vers le plafond.

— Curieux, mitigé. Ceux qu'on revoit ressemblent rarement au souvenir qu'on gardait d'eux.

Le nom qu'elle hésitait à prononcer franchit enfin les lèvres de la jeune fille.

— Mais... cela t'a fait plaisir de revoir... Arlène.

— Naturellement.

— Tu comptes reprendre avec elle tes relations d'autrefois ?

Elle retint de justesse la question que son orgueil lui interdisait de poser « Tu ne l'as donc pas oubliée, après tout ce temps ? Tu l'aimes toujours malgré son infidélité probable ? »

— Sans aucun doute, répondit Olivier.

Calmement, posément, il écrasa sa cigarette dans un cendrier et revint lui faire face.

— Il est naturel de retourner à ses anciennes habitudes, n'est-ce pas, de renouer avec ses amis passés. C'est ce que chacun attend de moi. Et vois-tu, mon ange, il ne faut jamais décevoir les gens, sinon cela les choque et les irrite.

Il souriait, parlait à nouveau avec cet accent railleur qui exaspérait Séverine en lui donnant l'impression d'être redevenue l'adolescente humble et sans grâce, dont on se moquait, celle qu'elle était six ans plus tôt, et qui le soir, d'une pièce obscure, guettait le retour de son cousin. Ce fut un instant étrange. Olivier tenait la jeune fille sous son regard, sans qu'elle parvînt à s'en dégager. Enfin, tel un oiseau qui s'ébroue, elle se passa la main sur le front.

— Je vais me coucher, dit-elle. Comme grand-mère, je suis fatiguée.

— N'invoque pas le prétexte de ton grand âge !

— Non, la fatigue suffit.

Il lui caressa la joue du doigt.

— C'est vrai, tu es toute pâle.

Elle eut un sourire difficile.

— Demain, cela ira mieux. Bonsoir.

— Bonne nuit, et rêve au moment glorieux où tu accéderas à la dignité enviable d'épouse de notaire !

Il rit, et rompant avec une habitude datant de l'enfance, s'abstint de l'embrasser en lui disant au revoir. Puis, au lieu d'aller vers l'escalier conduisant aux chambres, il se dirigea vers le hall sur lequel donnait la porte d'entrée.

— Tu ne montes pas ? s'étonna la jeune fille.

— Non, je vais faire un tour.

— Mais il pleut !

— Cela me rafraîchira les idées. C'est épuisant d'être ainsi à la parade. Quelle journée !

L'OISEAU DE PASSAGE

Il décrocha au passage un imperméable qu'il enfila et sortit. Elle le regarda s'éloigner, avec le sentiment d'avoir laissé s'enfuir une minute précieuse qui ne reviendrait pas.

CHAPITRE VII

Il plut toute la nuit, ainsi que la journée du lendemain, et durant la semaine qui suivit. L'eau tombait sans arrêt, formant comme une trame serrée qui noyait le contour des choses, courbait les dernières fleurs des jardins, éteignait l'or et la pourpre des frondaisons. Le ciel obscur n'avait plus de lumière et le soir maintenant arrivait très vite. C'était bien la fin de cet été si miraculeusement prolongé.

Dans le parc de La Roselière, les feuilles mortes qui couvraient les allées se gonflaient démesurément ; Cérès et Pomone ruisselaient des larmes brunes, et nul oiseau ne chantait plus. Les colombes qui, si peu de temps avant roucoulaient encore, à présent se taisaient. Merles et pinsons devaient être allés rejoindre les hirondelles aux pays chauds où elles émigraient chaque année. Il semblait qu'après avoir tant tardé ce déluge dût ne jamais finir.

Pour chasser l'humidité qui si facilement imprègne les vieux murs, on avait allumé le chauffage central dans la maison, tout en continuant, pour la gaieté qu'il procure, à entretenir le feu de bois du petit salon où se passaient généralement les soirées.

Séverine, ayant obtenu sans difficultés son permis de conduire, faisait à présent usage, pour se rendre à son travail et pour les courses, de l'Austin, offerte par Olivier. Malgré une agressivité latente, souvent prête à se réveiller, elle convenait que, par le temps actuel, l'auto lui rendait bien service.

Mme Bréval ne la voyait jamais partir sans appréhension. Comme toutes les personnes âgées, elle redoutait les innovations, et chaque matin, quand Séverine montait dans le véhicule pour gagner la ville, elle l'accablait de recommandations et de conseils de prudence.

— Fais attention, ne roule pas trop vite, tiens ta droite.

Séverine souriait en répondant avec un peu d'agacement :

— Ne t'inquiète pas, grand-mère. Je ne risque pas plus dans la voiture que sur mon vélomoteur. Et c'est autrement confortable !

Elle le constatait une fois de plus alors que, sous une pluie battante, elle roulait en direction du bureau du quotidien régional où elle allait, comme d'habitude, faire insérer une annonce.

Séverine devenait fière de la petite voiture soigneusement entretenue ; en arrivant elle veilla à la ranger de manière qu'aucun autre véhicule ne vînt égratigner sa peinture luisante, ou écorcher ses ailes. Une fois descendue, comme elle se retournait pour vérifier qu'elle ne risquait pas de dommage, elle vit alors, ainsi que quelques semaines plus tôt, la luxueuse décapotable d'Olivier garée dans le parking. Continuait-il à compulser les vieux numéros du journal ? Qu'y cherchait-il qu'il ne connût déjà ?

Depuis l'entretien qu'ils avaient eu ensemble après la réception, ils s'étaient peu vus, et jamais en tête à tête ; Olivier semblait les éviter. Du reste, il s'absentait beaucoup, quelquefois la journée entière. Si Mme Bréval se hasardait à le questionner, il répondait qu'il s'occupait de ses affaires, sans préciser de quoi il s'agissait, et la vieille dame se gardait d'insister. Le jeune homme ne prenait à La Roselière que le repas du soir, et encore le manquait-il souvent.

Envers Séverine, il se montrait amical, taquin, avec, semblait-il, une nuance de réserve. Entre eux persistait une curieuse gêne. A tort ou à raison, la jeune fille éprouvait l'impression qu'il prenait ses distances avec elle.

La veille au soir, après le dîner, ils avaient échangé quelques propos insignifiants.

— Alors, mon ange, s'était-il informé, comment te débrouilles-tu avec ton bolide ?

— Bien.

— Pas d'ennuis avec les changements de vitesse ?

— Non, ça va.

— J'espère que tu conduis sagement ?

— Mais oui ! avait-elle dit à la limite de l'exaspération. Je suis rigoureusement les instructions du code de la route, je tiens ma droite, etc... Je t'en prie, ne fais pas comme grand-mère qui me rebat les oreilles de conseils de prudence.

— Bon, bon, ne te fâche pas ! Je me dois de te faire ces recommandations. C'est pour moi une question de responsabilité. Je ne voudrais à aucun prix que soit défiguré ce joli minois que n'enlaidissent plus les foulards !

Les paroles, l'accent moqueur étaient les mêmes ; cependant quelque chose de subtil les différenciait. Séverine leur trouvait quelque chose d'affecté, et par moments la désinvolture d'Olivier semblait forcée ; on aurait dit qu'il jouait un rôle.

De toute évidence, les soirs où il ne rentrait pas dîner, pour ensuite regarder paisiblement la télévision avec Mme Bréval, aux anges, et avec Séverine, il se rendait dans un de ces clubs qu'il fréquentait autrefois assidûment pour y jouer aux cartes. Ou plus probablement chez Arlène Rouvier.

Bien qu'elle se défendît de guetter son retour, Séverine, ces soirs-là, n'arrivait pas à s'endormir.

* *
*

La jeune fille se disposait à traverser l'espace vide qui séparait le parking des bâtiments où se trouvaient les bureaux du journal, quand elle aperçut Olivier qui en sortait. Instinctivement, elle rabattit sur sa tête le capuchon de son imperméable, et se cacha derrière une camionnette qui la dissimulait aux regards, mais d'où, cependant, elle pouvait voir son cousin.

Elle constata alors qu'il n'était pas seul : un homme l'accompagnait — un de ces individus falots, si neutres, si effacés qu'après les avoir vus on serait bien en peine de donner leur signalement. Il portait un chapeau rabattu sur les yeux, un imperméable fatigué et trop long — il évoquait irrésistiblement un personnage de série policière américaine. Près de lui, Olivier, grand et mince, dans son ciré noir paraissait appartenir à une autre race. Quels rapports pouvait-il entretenir avec cet homme ? Cependant, ils discutaient avec animation et, sans jeter le moindre coup d'œil autour d'eux, montèrent ensemble dans la voiture d'Olivier qui démarra. Perplexe, Séverine la regarda s'éloigner, puis gagna le bâtiment où elle avait à faire.

Mais plutôt que d'aller immédiatement vers le comptoir du préposé aux annonces pour y dicter la sienne, elle se dirigea vers le hall sur lequel, entre autres portes, donnait celle de la salle des archives. Le même employé s'y trouvait, encore occupé à étudier attentivement la page sportive du journal, annotant les noms et les cotes des chevaux, et élaborant ses tiercés, couplés, etc... pour le jour suivant. Irrité d'être dérangé, il leva des yeux maussades mais, à la vue de la jeune fille, son visage renfrogné s'éclaira.

— Tiens, c'est vous, ma petite demoiselle ? C'est-il que vous voulez à nouveau regarder nos vieux numéros ?

— C'est exactement cela, répondit Séverine, sur le ton détaché qui convenait.

— On dirait que vous y prenez goût !

— En effet.

Elle se pencha vers l'employé, et lui chuchota à l'oreille :

— Ne le répétez pas, mais j'ai l'intention d'écrire un roman sentimental, comme ceux que publiait votre journal en feuilleton, et qu'aimait tant ma mère ! Cela revient à la mode. Alors, je veux étudier la technique des écrivains spécialisés dans ce genre.

Comme s'il eût été nanti de tous les pouvoirs sur la matière en question, il écarta les bras dans un geste olympien.

— Faites, ma belle, faites. Etudiez, renseignez-vous. Ce n'est pas moi qui vous en empêcherai !

— Merci.

Elle lui dédia son plus joli sourire, et il lui sourit en retour. Puis, plissant le front dans l'effort qu'il lui fallait faire pour sortir de ses pronostics, il reprit :

— A propos, votre ami, le grand qui a des cheveux gris, il vient souvent...

Elle jugea habile de feindre l'étonnement.

— Vraiment ?

— Oui. Comme vous, il a dû trouver quelque chose d'intéressant.

— C'est probable.

— Aujourd'hui, il n'était pas seul ; un homme l'accompagnait. La salle des archives devient décidément un lieu très fréquenté ! Peut-être ces deux-là veulent-ils aussi écrire des romans sentimentaux ?

Il eut un rire qui se croyait spirituel.

— Moi, ça ne me gêne pas, du moment qu'on ne m'oblige pas à les lire.

Il faisait ces réflexions, sans malice, et en parlant, s'était remis à pointer des noms de chevaux sur une liste.

— A tout à l'heure, dit Séverine.

Elle gagna la salle des archives, où l'accueillirent les mêmes remugles de poussière et de renfermé, mêlés à l'âcre odeur d'encre d'imprimerie qu'aucun désodorisant n'arrivait à chasser.

Deux chaises étaient placées de chaque côté de la table sur laquelle se trouvait, demeuré ouvert, un des dossiers contenant une demi-année des numéros du journal. Trop pressés, ou trop préoccupés, ceux qui venaient de les consulter avaient omis de les refermer et de les remettre à leur place.

L'OISEAU DE PASSAGE

La jeune fille s'approcha, se pencha sur l'album ouvert. Ainsi qu'elle s'y attendait, les lignes imprimées concernaient le meurtre d'Emile Rouvier.

L'affaire, à ce moment précis, languissait et commençait à lasser l'intérêt ; l'article, cette fois, avait été relégué en troisième page et n'occupait guère qu'une dizaine de lignes. Pour cette raison, il était passé inaperçu de Séverine lors de sa précédente lecture.

Le titre disait :

« Un nouvel indice, dans l'affaire Rouvier ? »

La phrase se terminait par un point d'interrogation et l'article continuait ainsi :

« Les policiers ont révélé avoir trouvé près du corps de
« M. Rouvier qui, comme on le sait, est mort par stran-
« gulation, des débris de verre provenant de lunettes qui
« pourraient avoir été brisées au cours d'une lutte
« l'opposant à son agresseur. Or la victime ne portait
« pas de lunettes, ni, du reste, Olivier Dormeuil, le meur-
« trier présumé. »

Cependant, opiniâtre dans son antipathie, le journaliste ne désarmait pas. Il suggérait :

« Notre souci d'information nous impose de tenir nos
« lecteurs au courant, mais il nous semble que cet indice
« est bien maigre car il est impossible de présumer depuis
« quand ces débris de verre se trouvaient là. Peut-être y
« étaient-ils depuis très longtemps avant le crime ! En
« tout cas, jusqu'à présent cette nouvelle piste n'a rien
« donné ; le principal suspect est demeuré Olivier Dor-
« meuil, sur lequel continuent à peser de lourdes pré-
« somptions. »

La lumière blême venue d'une rampe au néon tombait sur les caractères imprimés que Séverine contemplait.

Machinalement, elle referma le volume, le replaça parmi les autres. De multiples pensées tournoyaient dans sa tête, mais une lueur apparaissait au milieu de la confusion dans laquelle elle se débattait ; elle entrevoyait la raison qui poussait Olivier à venir compulser les vieux numéros du journal.

Il y cherchait le détail qui l'eût innocenté.

* *
*

La jeune fille avait rendez-vous ce même jour avec François dans un bar où ils se retrouvaient parfois.

L'heure en étant un peu dépassée, François attendait déjà en lisant un journal. Il était élégant dans son costume sombre et elle éprouva une courte vanité à être celle dont il espérait la venue. Il devait être là depuis un moment car il semblait de mauvaise humeur. Quand elle entra, il regarda ostensiblement la pendule accrochée au mur pour faire ensuite mine d'en comparer l'heure à celle marquée par sa montre.

— Oui, je sais, dit Séverine, je suis un peu en retard. Je vous prie de m'excuser.

Ils ne se tutoyaient pas, contrairement à l'habitude des jeunes gens d'aujourd'hui, et sans doute une fois mariés ne le feraient-ils pas davantage. Au vingtième siècle, et à trente ans à peine, François avait un esprit conservateur.

— Si je comprends bien, votre nouveau moyen de circulation ne vous fait pas gagner de temps ? railla-t-il.

La petite voiture était souvent l'objet de ses critiques. Du reste, rien de ce qui venait d'Olivier n'obtenait son approbation. Un tel parti pris de dénigrement tournait même à l'obsession.

— Peut-être pas beaucoup, en effet. Mais je suis à l'abri de la pluie et je trouve cela très agréable.

Elle s'installa près de lui, et sourit, pensant qu'il lui rendrait son sourire. Mais il demeura renfrogné et maussade. Un baiser eût tout arrangé. De même que pour le tutoiement, François trouvait de mauvais genre les baisers en public.

— Peut-on savoir ce qui vous a retardée ? demanda-t-il.

— Une démarche pour mon travail. Il m'a fallu aller au bureau du courrier avant l'heure de fermeture pour y faire insérer une annonce qui doit paraître demain. Quand on dicte par téléphone, il y a souvent des erreurs.

Le garçon venu prendre les commandes l'interrompit. Quand il se fut éloigné, tout excitée encore par ce qu'elle avait découvert, elle reprit :

— Par pure coïncidence, j'y ai aperçu mon cousin, et j'ai eu la curiosité de vouloir connaître les raisons de sa présence. J'ai appris par l'employé de garde qu'il compulsait fréquemment les anciens numéros du journal relatant les circonstances du meurtre d'Emile Rouvier.

François leva les sourcils.

— C'est assez curieux. Il doit pourtant connaître le sujet par cœur ! Qu'espère-t-il donc y trouver ?

D'un ton de triomphe, Séverine répondit :

— Des renseignements passés inaperçus qui prouveraient son innocence dans une affaire pour laquelle il a été inquiété à tort, et permettraient de découvrir le véritable coupable.

La pluie continuait à tomber à flots formant contre les

vitres comme un rideau qui les isolait du monde. Il y avait peu de consommateurs dans le bar ; seulement quelques habitués jouant aux cartes et aucun ne leur prêtait d'attention. Le garçon paraissait s'ennuyer derrière son comptoir.

— Qu'est-ce que c'est que cette nouvelle extravagance ? s'étonna François.

— Mais, dit Séverine, ce n'est pas une extravagance. Vouloir enlever cette tache sur sa réputation me paraît très honorable, très méritoire de la part de mon cousin.

Elle s'imaginait que François se féliciterait de cette initiative d'Olivier, mais il gardait son air buté. Avec un rire sec, déplaisant, il rectifia :

— En réalité, Olivier Dormeuil veut qu'on parle de lui à nouveau. Plutôt que de chercher à faire l'intéressant, de se livrer à un bluff inutile, il ferait mieux de rester tranquille et d'essayer de se faire oublier …

Toute son excitation tombée, la jeune fille soupira. Comme elle avait été stupide de croire que François approuverait quoi que ce soit venant d'Olivier ! L'hostilité de son fiancé envers son cousin demeurait aussi forte. Des deux hommes qui se partageaient son cœur, aucun ne répondait à son attente.

Du ton gourmé qu'il adoptait parfois, François reprenait :

— Oui, votre cousin se montrerait beaucoup plus adroit en se comportant plus discrètement, en restant dans l'ombre. Et l'on dirait au contraire qu'il se plait à braver l'opinion !

Il attendit que le barman eut apporté les boissons commandées, et poursuivit :

— Nous parlions justement de cela à la maison hier

soir, mes parents et mon oncle Arsène. Ils étaient tous d'accord pour blâmer le comportement de votre cousin.

Doucement, Séverine observa :

— Je ne crois pas que M. Laroche soit bien qualifié pour donner son avis sur cette question, François. Il y a trop à redire sur sa propre conduite.

Le visage déjà coloré de François s'empourpra. Avec raideur il répliqua :

— Mon oncle a quelquefois des ... malaises, mais il garde toujours une attitude parfaitement correcte. Ses fréquentations sont convenables. Il ne se commet pas dans des endroits mal famés ni auprès de femmes sans moralité.

Séverine soupira :

— Vous manquez d'indulgence, de compréhension, François. Olivier vient de vivre une période très dure. Il a besoin d'échapper à ses souvenirs. Il ne faut pas l'en blâmer.

Il y eut quelques instants de silence. François regardait la jeune fille, mais submergé par sa rancune de la voir plaider la cause de son indésirable cousin son regard, en se posant sur le charmant visage proche de lui, ne voyait pas les beaux yeux si tendres sous leurs cils de soie, la bouche au dessin émouvant. Amoureux de Séverine au point de braver ses parents qui désiraient lui voir épouser la riche héritière de leur choix, il l'aurait voulu émerveillée par cet amour, douce et soumise comme l'était sa mère à son père. Il s'étonnait qu'elle eût des pensées, des opinions différentes des siennes et s'entêtât à défendre Dormeuil qui représentait ce qu'il exécrait le plus au monde : l'esprit d'aventure, le défi aux conventions, aux règles admises.

Très sentencieux, il se mit à expliquer :

— Voyez-vous, Séverine, depuis son retour votre cousin accumule les maladresses, les provocations ! Cette réception qu'il a donnée à La Roselière et dont on n'a pas fini de parler, a paru à beaucoup d'une indécente ostentation. Les gens ne peuvent s'empêcher de se demander d'où il tient l'argent qu'il dépense aussi largement, et de penser qu'il le tire de quelque trafic illicite ... Car, enfin, si, il y a six ans, Olivier Dormeuil jouissait de par son père, d'une certaine fortune, elle était modeste en regard de celle dont il fait étalage à présent ! Alors il est naturel qu'on se pose des questions sur sa provenance ...

Il fit une pause pour reprendre haleine, et continua :

— D'autre part, mes parents ont été profondément choqués de rencontrer à cette réunion Arlène Rouvier, dont vous n'ignorez pas la réputation déplorable ... Comme s'il ne suffisait pas qu'on vît la voiture d'Olivier Dormeuil stationner devant son domicile plusieurs fois par semaine ! Le moins qu'on puisse dire, est que c'était de mauvais goût.

Comme Séverine ne trouvait rien à répondre, sur sa lancée François poursuivit :

— Il ne fréquente que des personnages douteux. En ce moment, on le voit beaucoup en compagnie d'un homme mal habillé, aux allures équivoques, quelque complice, probablement d'anciens mauvais coups. Je me demande ce qu'ils complotent actuellement ! De la part d'un Dormeuil on peut s'attendre à tout.

Irritée à son tour, Séverine répliqua :

— Vous vous trompez, François. Votre parti pris vous égare. J'ai vu l'homme dont vous parlez en compagnie d'Olivier ; ils sortaient ensemble des bureaux du journal où ils venaient d'étudier les vieux numéros parlant du meurtre. J'ai la conviction qu'il s'agit d'un détective privé engagé par mon cousin pour recueillir des renseignements susceptibles de faire rouvrir l'enquête, et de prouver qu'il n'est pour rien dans cette pénible affaire. Olivier en a le droit moral et les moyens matériels. Je trouve très bien de sa part de le tenter.

Aigrement, François rétorqua :

— Il a surtout le devoir de ne pas nuire à ceux qui ne lui ont rien fait !

Séverine considéra son fiancé avec tristesse :

— Comme vous le détestez ! dit-elle. Je pensais que vous vous réjouiriez de cette initiative de mon cousin. Mais rien de lui ne trouve grâce devant vous.

Des larmes lui serraient la gorge. Le faible espoir qu'elle gardait encore de voir un jour les deux hommes sympathiser s'éteignait. François haussait les épaules.

— Je ne l'aime, ni ne l'estime, c'est exact, reconnut-il. Rien de bon ne peut venir de lui.

Il parlait en toute sincérité, et se fut récrié si on l'avait accusé d'injustice ou de partialité. Son animosité déformait son jugement Avec une patience méritoire, il essaya de défendre son point de vue :

— Ma chère Séverine, vous parez votre cousin, parti et mystérieusement revenu, d'une auréole imméritée. Je voudrais vous ouvrir les yeux, et vous faire comprendre qu'il n'y a rien à gagner à remuer le passé, que Dormeuil, en le faisant, réveillera seulement un scandale mal éteint. A supposer qu'il y ait à découvrir quelque chose l'innocentant ...

Il détacha les mots, en répétant :

— ... Et je dis bien à supposer, car personnellement je trouve qu'il s'en est tiré à bon compte. Trop de temps s'est écoulé pour obtenir un résultat. Je suis certain que chez moi tout le monde sera de mon avis.

Nul doute qu'il ne soumît la question le soir même à la famille au grand complet, y compris Arsène Laroche, l'oncle à héritage qu'on tenait à ménager.

Le jeune homme but une gorgée de son verre et continua :

— Je suis désolé de vous enlever vos illusions, ma petite Séverine, mais il faut bien vous mettre dans la tête que votre cousin, même s'il est innocent du crime dont on l'a accusé, est un individu peu recommandable. Et voilà qu'au lieu de faire preuve de discrétion, on dirait qu'il se plaît à braver l'opinion, à causer du gâchis.

Avec amertume, il déplora :

— Tout allait si bien avant qu'il revienne.

Il entendait évidemment par là que ses parents, après s'y être opposés, avaient enfin accepté l'idée de son mariage avec une jeune fille sans dot mais honorable.

— Enfin, espérons qu'il repartira promptement vers cette vie d'aventure pour laquelle il est fait.

Il exprimait franchement son désir de voir disparaître, retourner au néant, cet intrus qui assombrissait son horizon, avant de conclure :

— Dans l'état actuel des choses, mes parents estiment qu'il vaut mieux attendre un peu pour fixer la date de notre mariage.

Séverine ne releva pas la phrase et n'en ressentit qu'une brève humiliation. Elle ne désirait pas rompre cette union qui comblait sa grand-mère et satisfaisait en elle un besoin d'équilibre et de stabilité, mais le jour de son mariage lui avait toujours paru assez lointain, et il lui était indifférent qu'il fût repoussé.

Sa pensée, depuis un instant, allait vers Olivier dont François venait de lui confirmer qu'il se rendait plusieurs fois par semaine chez Arlène Rouvier ...

CHAPITRE VIII

Quelques jours s'écoulèrent. Arriva le samedi où, ne travaillant pas, Séverine aida sa grand-mère à faire des rangements, à trier des papiers. Dans le bureau du défunt grand-père, une pièce sévère où l'on n'allait que pour cette occasion, après avoir étudié des factures, établi des chèques de règlement, et détruit les paperasses inutiles, les deux femmes gagnèrent le petit salon.

Olivier s'y tenait lisant un journal de sport devant le feu de bûches qui brûlait dans la cheminée, chantant et crépitant joyeusement. Le nez chaussé de lunettes qu'elle s'abstenait généralement de porter, par coquetterie, l'aïeule ouvrit un tiroir du bonheur-du-jour en marqueterie où elle rangeait sa correspondance personnelle.

La compulser, la relire, était pour la vieille dame le plaisir, la distraction des jours de pluie. Elle regardait avec attendrissement les velins couverts d'écritures à l'encre passée, messages d'amies pour la plupart disparues ; elle feuilletait même de vieux carnets de bal remontant à sa jeunesse — échos de musiques tues à jamais qui parlaient d'idylles oubliées, et de fêtes aux lampions depuis longtemps éteints. Des fleurs desséchées, des rubans fanés aux parfums éventés — l'odeur même d'un passé — se mêlaient à l'émouvant fatras. Quelquefois, la vue de quelques lignes d'écriture faisait encore monter des larmes aux yeux de l'aïeule.

— Ma jeunesse est enclose là dedans, soupirait-elle.

Il se dégageait de la scène, du feu de bois une impression de bien-être et de paix. De temps en temps, le regard d'Olivier quittait son journal pour se porter vers les deux femmes et il souriait, ému par le spectacle des deux têtes rapprochées : celle à la brune chevelure traversée de rayons, et l'autre aux cheveux de neige.

Puis son sourire s'effaçait, son regard assombri s'évadait, s'en allait bien au-delà de la pièce intime, vers de lointains horizons.

Au trésor de l'aïeule, à ces lettres, à ces agendas, s'ajoutaient des photographies, celles qui étaient en double ou n'avaient pas trouvé place dans les albums de peluche à coins dorés qui s'empilaient au grenier — images jaunies d'un temps passé dont on a parfois peine à se souvenir.

Parmi ces photos, il s'en trouvait une d'Olivier alors âgé de quelques mois, posé tout nu sur un coussin, comme le voulait l'usage. Il souriait d'un attendrissant sourire sans dents et l'on distinguait très nettement sur son épaule une tache sombre, « une envie de café », disait-on alors.

Un autre cliché, plus récent, le représentait à côté de Séverine. Lui, adolescent, presque jeune homme, l'air renfrogné, n'avait visiblement consenti qu'à contrecœur à tenir la pose ; il portait déjà sur son visage le désir de partir. Près de lui, Séverine écarquillait ses grands yeux sous une frange bien peignée de petite fille sage, et comme pour le retenir, serrait la main de son compagnon.

Mme Bréval tendit cette dernière image au jeune homme.

— Te souviens-tu de cette photographie, Olivier ?

Toujours attentive aux expressions de son cousin, Séverine eut le sentiment qu'il se raidissait et que le calme avec lequel il répondit lui coûtait un effort.

— Non, dit-il, en repliant son journal. Pourquoi ? Elle devrait me rappeler quelque chose ?

Mme Bréval eut un petit sourire.

— Oh ! Rien de particulier ! dit-elle. Sinon que c'était l'anniversaire de Séverine, et que nous avons eu toutes les peines du monde à te persuader de rester, le temps d'une pose, auprès de ta cousine, que tu traitais alors de déplaisante sauterelle, tandis que tu brûlais du désir d'aller rejoindre ton ami Jean-Pierre pour une partie de football !

Soulagé, eût-on dit, il hocha la tête.

— Ce n'était évidemment pas très gentil de ma part. Mais je ne crois pas avoir jamais été très gentil.

— Et tu n'as guère changé ! déclara Séverine.

Il se tourna vers elle, et avec ce sourire qui toujours remuait le cœur de la jeune fille, il rétorqua :

— C'est toi qui as changé, mon ange. Je ne te traiterais certainement plus maintenant de sauterelle sans grâce.

— Merci, dit Séverine.

Elle rougissait, un peu honteuse d'éprouver tant de joie quand Olivier lui faisait un compliment.

Cependant, Mme Bréval à présent tenait entre les mains la carte postale aux vives couleurs, représentant Bangkok — l'unique message reçu d'Olivier. Scandant les mots, elle lut tout haut le texte, tracé d'une écriture assez désordonnée, dans laquelle un graphologue eût sans doute discerné une certaine instabilité de caractère,

111

et que, pour l'avoir lue et relue, Séverine connaissait par cœur ...

« Voyage excellent. Ce pays est magnifique, les habi-
« tants accueillants. Et il m'est arrivé une histoire fan-
« tastique, incroyable. La vie est réellement pleine de
« coïncidences ahurissantes. Il a fallu que je vienne à
« Bangkok pour rencontrer quelqu'un dont je n'aurais
« pu connaître ni même soupçonner l'existence. Mais le
« courrier va partir et je n'ai pas, aujourd'hui, le temps
« de vous parler de Julian. Ce sera pour une autre fois.
« Je vous embrasse. A bientôt. »

Dans le jour gris qui venait des fenêtres, la carte res-
plendissait de ses couleurs éclatantes. Olivier qui était
retourné à la lecture de son journal n'avait pas écouté.
Mme Bréval lui brandit la carte sous le nez. Le jeune
homme jeta à l'image un regard distrait.

— Qu'est-ce ?

— Comment, tu ne reconnais pas cette carte ?
s'étonna la vieille dame. C'est le dernier message que tu
nous as adressé de Bangkok avant d'être fait prisonnier.

Le jeune homme prit la carte, la parcourut des yeux,
puis eut un signe de tête.

— Oui, je me souviens maintenant, dit-il. Tant de
temps s'est écoulé, tant d'événements sont survenus que
j'avais complètement oublié avoir écrit ce mot.

Ainsi que tout à l'heure pour la photo, il semblait sur
le qui-vive.

— Evidemment, dit Mme Bréval, cela n'a rien de surprenant. Mais qui donc était ce Julian dont tu parlais ?
Je n'ai cessé de me poser la question !

— Julian ! répéta-t-il.

Il respira longuement, profondément, avant de com-
mencer :

112

— Julian Dormeuil était un très lointain cousin descendant d'une branche de notre famille émigrée au Canada au XVIIIᵉ siècle. Mais les Dormeuil se lassèrent assez vite du froid, et se disséminèrent aux quatre coins du monde. Julian avait fondé à Bangkok un commerce de soieries et d'objets d'art très fructueux, et pour lequel il voyageait beaucoup.

Mme Bréval réfléchissait.

— Je sais que des Dormeuil sont partis pour le Canada, dit-elle. C'est, en effet, une curieuse coïncidence que ce Julian et toi vous soyez trouvés en même temps à Bangkok. Comment avez-vous fait connaissance ?

Il paraissait s'être repris.

— Il y a dans toutes les villes étrangères, tant en Asie qu'ailleurs, des établissements où les Européens se retrouvent entre eux ; il est inévitable qu'on arrive à se connaître. Dans ces lieux, il règne généralement une ambiance familière et on y oublie le protocole.

Il pesait ses mots, les choisissait soigneusement.

— Ce Julian devait être très sympathique ?

— Oui. A moi, du moins. Certains le jugeaient avec sévérité et ne l'aimaient pas, mais tout de suite nous fûmes attirés l'un vers l'autre ; notre surprise et notre amusement furent grands de nous découvrir des liens de parenté.

Il fit une pause et d'un ton rêveur reprit :

— Comme il y a les coups de foudre de l'amour, il en existe également en amitié. Ce fut le cas pour Julian et moi. Il n'y a rien de plus beau, de plus solide, qu'une amitié masculine. Et cette amitié ne fit qu'augmenter avec les jours. Nous nous comprenions, nous partagions les mêmes idées, les mêmes goûts.

... « Dont celui de l'aventure, » pensa Séverine qui écoutait sans rien dire. Oui, Olivier avait assurément aimé ce lointain parent connu par hasard. Il continuait :

— Nous sommes partis ensemble, Julian et moi, pour cette expédition destinée à l'achat d'objets d'art, et qui devait être de routine. Nous avons été faits prisonniers tous les deux. Au cours de tentatives d'évasion, nous nous sommes sauvé réciproquement la vie plusieurs fois, savez-vous ? ... Durant ces longues journées de captivité, nous échangions des confidences, nous arrivions à tout connaître l'un de l'autre.

Il y eut un silence durant lequel les deux femmes s'imprégnèrent de ces paroles.

— Et qu'est-il advenu de Julian ? demanda Mme Bréval.

Le jeune homme posa sur elle le regard soudain terni de ses yeux en ce moment plus gris que bleus.

— Il est mort, dit-il, de suites de sévices et de dénutrition.

... Quelque chose d'immatériel, comme le souffle d'une âme, parut flotter dans la pièce. Olivier se passa la main sur le front.

— Je n'aime pas me rappeler cela.

— Je comprends, murmura l'aïeule, excuse-moi, mon enfant, d'avoir réveillé de mauvais souvenirs.

— Un jour, murmura le jeune homme, je vous parlerai de Julian, je vous dirai tout de lui. Mais il faut du recul pour cela ...

Au-dehors, la pluie tombait, monotone et triste, sur les pelouses détrempées, les massifs nus, les arbres que chaque jour dépouillait de leurs feuilles. Mme Bréval prit des mains d'Olivier la carte aux brillantes couleurs et la rangea dans le tiroir.

— Je la garde, expliqua-t-elle. C'est un souvenir précieux.

Olivier appouva d'un signe de tête. Puis il se leva.

— Je sors, annonça-t-il, j'ai rendez-vous au club avec Jean-Pierre.

— Seras-tu là pour le dîner ? s'enquit Mme Bréval au moment où il se dirigeait vers la porte. Tu sais que le samedi est le jour du soufflé au fromage !

Il se retourna pour lui répondre :

— Certainement. Pour rien au monde je ne manquerais le soufflé au fromage d'Aurélie. Elle en serait, je crois, très mortifiée.

Il avait repris son visage habituel et son air de nonchalante impertinence.

— Alors, sois là pour huit heures. Ne t'attarde pas. Tu sais que le soufflé n'attend pas.

— Je serai à l'heure, c'est promis.

Il endossa son imperméable et sortit.

Quelques instants plus tard, on entendit la voiture démarrer.

* * *

Le reste de l'après-midi se traîna, morne et languissant ; Séverine consulta de plus en plus fréquemment la pendule. Puis Aurélie, avec l'importance que lui conféraient ses talents de cuisinière, vint demander des instructions :

— Il est sept heures et demie. Est-ce que je peux mettre le soufflé au four ?

— Oui, je crois que vous pouvez l'enfourner, répondit Mme Bréval. Olivier ne va pas tarder ; il a formellement promis d'être à l'heure.

La domestique se retira pour surveiller la cuisson délicate du mets dans lequel elle triomphait ; mais on attendit Olivier en vain.

Le soufflé eut le temps de cuire, puis de s'aplatir sans qu'il parût. La voix d'Aurélie prit des inflexions dramatiques pour déplorer l'affaissement de son soufflé qu'attaquèrent sans entrain Mme Bréval et Séverine.

— Je me demande comment il se fait qu'Olivier ne soit pas rentré à l'heure, comme il l'avait promis, soupira l'aïeule. Qu'est-ce qui a pu lui arriver ?

Elle était pâle et, bien que le chauffage central en bon état de marche répandît dans toute la maison une agréable tiédeur, elle resserra sa veste de lainage contre sa poitrine d'un geste frileux.

— Il a oublié, en compagnie de ses amis, le temps qui passait, dit Séverine qui pensait : « Auprès d'Arlène. »

C'était elle, naturellement, qu'il avait rejointe.

Séverine aurait voulu empêcher son cœur de se serrer, des larmes de monter à ses yeux. Dans son effort, sa voix avait pris un ton acerbe. Mme Bréval chercha des excuses à Olivier :

— Après les souvenirs pénibles qu'il avait évoqués, il était normal qu'il ait eu besoin de se distraire, dit-elle. Ce qui l'est moins, c'est d'avoir omis de tenir sa promesse d'être à l'heure pour le dîner et le soufflé au fromage.

— Jamais il ne m'avait fait cela, jamais ! dit Aurélie avant de repartir vers la cuisine.

Malgré son indulgence pour son protégé, elle était outrée. Mais il fallait plus qu'un soufflé et une promesse, pour dompter le rebelle que ne cesserait sans doute d'être Olivier.

— Je me souviens qu'autrefois nous l'avons souvent attendu en vain, observa Séverine.

— Depuis son retour, je le trouvais changé, je le croyais devenu raisonnable ...

— Raisonnable ! Il ne le sera jamais ...

— Il aurait pu téléphoner.

La jeune fille haussa les épaules.

— Il n'y a même pas pensé ...

— J'ai comme un mauvais pressentiment, murmura l'aïeule.

Sur son tendre visage demeuré si charmant, les rides se creusaient davantage révélant son souci et sa fatigue.

— Ne te mets pas d'idées folles en tête, grand-mère ! protesta Séverine.

Elle se rebellait contre l'inquiétude sourde qui commençait à la gagner.

Le repas fut morne. De temps à temps, l'une des deux femmes ébauchait une phrase tout de suite interrompue. Chacune, en réalité, ne pensait qu'à guetter le roulement feutré de l'automobile d'Olivier sur le gravier, le claquement d'une portière, puis le bruit d'un pas qui se rapprochait. Et sans doute, à la cuisine, Aurélie en faisait-elle autant, ainsi, probablement, qu'Emma, l'ahurie aux pieds sensibles, que le jeune homme subjuguait.

Mais seul l'égouttement de la pluie sur le toit, et dans les branches, le grondement du vent qui évoquait le ressac, troublaient le silence.

Ensuite, comme tous les soirs après le dîner, Mme Bréval et Séverine gagnèrent machinalement le petit salon et s'installèrent près du feu devant lequel déjà se prélassait le chat. Ni l'une ni l'autre des deux femmes ne firent l'effort de tourner le bouton de la télévision, dont, grâce à la générosité d'Olivier qui leur avait offert le poste, elles jouissaient récemment.

Jamais la petite pendule à colonnettes de la cheminée n'avait si lentement compté les minutes. Parfois, dans l'âtre, une bûche se rompait avec un jaillissement d'étincelles qui faisait se reculer le chat. Séverine alors se penchait, à l'aide de pincettes elle rapprochait les deux tisons enflammés et le feu reprenait son chuchotement.

Cette soirée ressemblait à celle où, deux mois plus tôt, Olivier épuisé par sa longue aventure était venu frapper à la porte, enfant prodigue regagnant le bercail. Mais, ce soir, le clair de lune ne versait pas sur les choses sa lumière d'enchantement ; la pluie tombait sans arrêt, et aucune étoile ne brillait dans le ciel obscur.

— Grand-mère, veux-tu que je te prépare une infusion ? suggéra Séverine qui voyait avec peine se creuser le visage de l'aïeule.

De la main, Mme Bréval écarta la proposition.

— Merci, pas de tisane. Je vais me coucher. Il ne sert à rien de rester là.

Péniblement, elle se leva de son siège.

— Je ne me suis jamais sentie aussi vieille ! soupira-t-elle.

Sans échanger d'autres paroles qui n'auraient fait qu'aggraver leur souci, les deux femmes gagnèrent leurs chambres.

*\
* *

Pour toutes les deux, la nuit fut longue, éprouvante.

Longtemps, Séverine demeura éveillée, l'oreille aux aguets, s'imaginant à chaque instant entendre le bruit de la voiture d'Olivier qui rentrait. Elle se dressait alors : mais il ne s'agissait que de la rumeur du vent, et du crépitement de la pluie sur les toits. Elle retombait sur son lit, où elle sombrait dans de terrifiants cauchemars, dont elle s'éveillait en sursaut, les yeux mouillés, sans pouvoir se rappeler la cause de ses larmes.

Enfin, un matin brumeux, gris, éclaira parcimonieusement le ciel. Dolente, encore à moitié endormie, soumise à la discipline de ceux qui ont l'habitude du travail, bien qu'elle eût aimé prolonger son sommeil, la jeune fille se leva, endossa une robe de chambre, et descendit à la cuisine où, pour simplifier le service, les habitants de La Roselière prenaient ensemble le petit déjeuner. Droite et déjà bien coiffée, Mme Bréval se tenait devant la table, mais Olivier ne s'y trouvait pas.

— Toujours en retard, ce galopin ! maugréa Aurélie.

Comme elle s'en réservait le privilège, la vieille servante monta à la chambre du jeune homme pour le rappeler à l'ordre. Elle en descendit quelques instants plus tard, le visage décomposé.

— Olivier n'est pas dans sa chambre, déclara-t-elle, d'un ton dramatique.

Mme Bréval la regarda d'un air incrédule.

— En êtes-vous sûre, Aurélie ?

La domestique hocha vigoureusement la tête.

— Sûre et certaine. D'abord j'ai frappé, comme d'habitude, puis appelé. Comme ça ne répondait pas, j'ai ouvert la porte. Il n'y avait personne, ni dans la chambre, ni dans la salle de bains. Le lit n'était même pas défait. Olivier n'est pas rentré de la nuit.

— Mon Dieu ! murmura Mme Bréval.

De fines gouttelettes de sueur perlaient à son front et, dans son visage devenu blême, les lèvres semblaient bleuir.

— Il est reparti, dit-elle d'une voix blanche. Je le croyais rentré pour toujours, et il s'est enfui à nouveau.

Pourquoi est-il revenu, si c'était pour s'en retourner aussi vite ...

Elle porta la main à son cœur.

— Je ne ... me sens pas bien, balbutia-t-elle.

Elle chancela, et fût tombée de son siège si Séverine ne s'était précipitée pour la retenir.

CHAPITRE IX

La jeune fille, aidée d'Aurélie, transporta la vieille dame sur le canapé le plus proche, et selon un vieux remède, les deux femmes lui bassinèrent les tempes à l'eau de Cologne.

— Il faut faire venir le médecin, dit Aurélie avec autorité.

— Evidemment, répondit Séverine.

Comme elle se précipitait vers le téléphone, Mme Bréval voulut la retenir.

— Mais non, il est inutile d'appeler le médecin ... C'est un petit malaise, causé par la contrariété.

Toute sa vie, elle aurait ce désir d'effacement, ce souci de ne pas déranger. Sans l'entendre Séverine décrocha le récepteur et en quelques mots expliqua au praticien — médecin de la famille depuis longtemps, et qui avait soigné leurs coqueluches et leurs rougeoles, à Olivier et à elle — l'indisposition dont venait d'être victime sa grand-mère. Il promit d'arriver très vite et, en effet, ne tarda pas.

Quand il eut examiné la vieille dame, il commença par lui faire une piqûre de coramine, puis rangeant son stéthoscope :

— Ce n'est pas grave : un simple spasme cardiaque, causé vraisemblablement par une émotion, conclut-il.

Par discrétion, il ne demanda pas les raisons qui avaient motivé cette crise ; il griffonna son ordonnance, donna des explications sur la manière d'administrer les médicaments prescrits, et recommanda :

— Il faut à notre malade du calme, du repos, et aussi lui éviter tout effort physique. Par exemple, elle ne doit pas monter un escalier. Je suggère qu'on lui aménage une chambre au rez-de-chaussée.

— C'est très facile, docteur, acquiesça Séverine. Les pièces ne manquent pas. Il y en a une qui fera parfaitement l'affaire.

La jeune fille accompagna le praticien jusqu'à la porte, et loin des oreilles de la malade, s'enquit anxieusement :

— Vraiment, docteur, ce n'est pas trop grave ?

Il hésita.

— Non. Enfin, pas trop … Mme Bréval n'est plus de première jeunesse, bien sûr. C'est tout de même un avertissement.

Il donna une petite tape sur l'épaule de Séverine.

— Allons, pas de panique, dit-il, d'un ton qui se voulait rassurant. Avec les médicaments que j'ai préconisés, l'état de votre grand-mère va s'améliorer rapidement. Je ne crois pas nécessaire de revenir, à moins d'aggravation imprévue, naturellement.

La chambre vers laquelle Séverine et Aurélie, aidée maladroitement par Emma, dirigèrent Mme Bréval, était située à l'angle de la maison, et elle donnait sur les anciennes écuries aujourd'hui transformées en garage.

On y voyait un lit vieillot, une commode de poirier à dessus de marbre et deux fauteuils recouverts de reps vert. Des rideaux d'indienne à fleurettes encadraient la fenêtre. Les mêmes fleurettes se répétaient sur la courtepointe posée sur le lit, et une carpette en patchwork couvrait le sol.

La pièce — désertée sans doute à cause de la vue qu'on en découvrait — manquait d'agrément et elle était inhabitée depuis longtemps. Peut-être, dans un lointain passé, avait-elle été occupée par quelque personne âgée ou infirme, redoutant la fatigue d'un escalier à monter. A moins que, en raison de la fenêtre basse si facile à escalader, un être jeune ne l'eût choisie pour courir aisément vers des amours clandestines.

Le premier soin de Séverine en entrant dans la pièce avait été d'ouvrir le radiateur. Après en avoir, de la main, estimé la chaleur, Aurélie fit la moue.

— Il faut faire du feu dans la cheminée, décréta-t-elle. Avec seulement le radiateur, la chambre n'en finira pas de se réchauffer et Madame aurait tout le temps de prendre froid, ce qui n'arrangerait pas son état !

S'adressant à Emma, elle ajouta :

— Toi, au lieu d'aller et venir sans but comme une poule ivre dans une basse-cour, va chercher du papier, du petit bois et des bûches.

— Bien, madame Aurélie, acquiesça la jeune servante avant de filer.

— Quel mal je vous donne à toutes ! soupirait Mme Bréval.

— Ce n'est rien, grand-mère, répondait Séverine, tendrement. L'essentiel est que tu te remettes vite. Le médecin a été formel : à moins d'imprudence, c'est l'affaire de quelques jours.

— Bien sûr, ma petite fille, opinait la vieille dame. Tu es une bonne enfant. Je me sens beaucoup mieux à présent. Je me demande ce qui m'est arrivé !

Elle souriait, d'un doux sourire résigné. Ses yeux, couleur de violette fanée, erraient, cherchant au-delà de la tête brune de la jeune fille penchée sur elle, la tête aux cheveux blonds prématurément mêlés de gris, de l'enfant absent …

Quand elle fut installée dans son lit, le dos calé contre les oreillers, et que le feu, ayant cessé de fumer, se fut mis à pétiller et à lancer des flammes claires, Séverine, au volant de sa voiture, alla chercher dans une pharmacie les médicaments prescrits par le médecin.

Comme tous les dimanches, des appels de cloches invitant les fidèles à l'église se répandaient dans l'air. Il pleuvait toujours — une petite pluie fine, continue, tombait sans arrêt. Du ciel uniformément gris, peu de lumière filtrait. Il n'y avait guère de monde dans les rues ; recroquevillés dans leurs imperméables ou sous leurs parapluies, les rares passants se hâtaient vers leurs foyers tièdes. Une tristesse accablante pesait sur les choses.

Toute préoccupée par le souci que lui causait l'état de sa grand-mère, malgré les paroles rassurantes du médecin, Séverine se refusait à accueillir l'autre tourment qui habitait son cœur. C'était pour elle le moyen de reculer le moment où les mots « Olivier est parti » prendraient toute leur signification.

Dès qu'elle eut les médicaments, elle regagna La Roselière. En rangeant sa petite voiture dans le garage, elle constata que la place à côté demeurait vide et elle soupira. Sans oser se l'avouer, elle avait espéré que la Mercédès d'Olivier s'y trouverait.

Séverine fit aussitôt absorber à l'aïeule les pilules ordonnées par le médecin, puis s'assit près d'elle, attendant que l'effet du médicament se fût produit ; peu à peu, la vieille dame s'assoupit. Alors Séverine se permit de penser à ce que représentait l'absence d'Olivier.

Avec un calme lucide, elle s'efforçait de raisonner objectivement, se disant que rien ne prouvait qu'il fût parti pour toujours. Il se pouvait aussi qu'il ait eu un accident de voiture ; les chaussées mouillées se prêtaient au dérapage — mais dans ce cas, on aurait prévenu à son domicile.

Bien que, par souci des convenances, il ne l'eût jamais fait jusqu'à présent, il était possible également qu'il se soit attardé chez Arlène Rouvier ...

Pour le savoir, Séverine se dirigea vers le téléphone, décrocha le récepteur et le raccrocha. A quoi bon s'imposer une humiliation inutile ?

Elle revint au chevet de Mme Bréval, s'assura que le cœur de celle-ci, au rythme précédemment si fou, battait à présent normalement. Puis après avoir hésité, elle s'engagea dans l'escalier qui conduisait à la chambre d'Olivier. Qu'espérait-elle y trouver ? Elle ne le savait pas. Un message peut-être, expliquant son absence, les raisons de son départ, ou même, dérisoire espérance, annonçant son retour ?...

Son premier geste fut d'ouvrir la penderie. Les costumes du jeune homme étaient là, alignés sur des cintres et son linge correctement rangé dans les tiroirs de la commode. Sur la tablette du lavabo, le rasoir, la crème à raser, la lotion après rasage, semblaient attendre qu'on s'en servît. L'odeur des cigarettes de l'occupant des lieux les imprégnaient encore. C'était tout ce qui restituait sa présence. Séverine attendait de ce décor, de ces objets, le secret d'un cœur qui se dérobait, et ne le trouvait pas.

La jeune fille regarda autour d'elle. Olivier, depuis son retour, avait laissé la pièce telle qu'elle était autrefois. On y voyait, épinglées aux murs, des photographies d'artistes, chanteurs de music-hall et acteurs de cinéma, et aussi de vedettes du monde des sports, champions de boxe, gloires du ballon rond ou ovale, célèbres six ans plus tôt, et à présent pour la plupart oubliés. Des gants de boxe, souvenirs du temps où il s'essayait dans le « noble art » voisinaient avec une cravache rappelant l'époque où il se passionnait pour l'équitation ; une reproduction d'une toile de Salvador Dali, baroque et inquiétante, contrastait bizarrement avec l'ensemble.

A ces témoignages d'un passé révolu, Olivier n'avait rien soustrait, mais rien ajouté non plus. Ni une photographie, ni une image ou un objet récents. L'évidence sauta soudain aux yeux de Séverine. Olivier ne s'était pas réintégré au milieu de sa jeunesse : cette chambre n'avait été pour lui qu'un logis temporaire à quitter sans regrets. Alors qu'on l'imaginait réadapté à une vie normale, civilisée, bien qu'il eût connu la captivité et parfois frôlé la mort, il gardait de ces pays lointains une nostalgie, une secrète attirance.

Visitant plus tôt cette chambre dont, par discrétion, elle s'interdisait le seuil, la jeune fille eût certainement compris qu'Olivier ne s'installait pas. Il ne faisait que se poser, avant de reprendre son vol, comme un oiseau sauvage, qui s'arrête un instant et s'enfuit.

Quand sa grand-mère et elle le croyaient assagi, il ne cessait de porter en lui ce désir d'errance, d'évasion, que nul danger ne freine. Il serait toujours celui qui part, que rien ne peut retenir.

Les vêtements dans la penderie, les objets usuels laissés à leur place ne signifiaient rien. Si Olivier avait décidé de reprendre sa vie aventureuse, il n'était pas homme à se préoccuper de ces contingences, ni à s'embarrasser de bagages. A son arrivée, il portait seulement un sac de voyage. Sa fortune lui permettait de négliger ces détails, de n'obéir qu'à sa fantaisie. Esquivant la corvée des adieux, fuyant les reproches, préférant ignorer la peine que causerait son absence, il était parti pour d'autres lieux plus conformes à ses goûts que la paisible Roselière.

Une lettre, un jour — peut-être une simple carte postale, semblable à celle expédiée de Bangkok, et venant probablement d'aussi loin, donnerait de lui de brèves nouvelles — puis ce serait à nouveau le silence.

Une révolte grondait dans la poitrine de Séverine. Comment Olivier pouvait-il se montrer si cruel, si insoucieux du chagrin de la douce aïeule, et du sien ?

Sans même s'en rendre compte, elle gémissait :

— Pourquoi, Olivier, pourquoi es-tu parti ?

Lentes, lourdes, intarissables, des larmes se mirent à couler sur ses joues.

Quelques instants s'écoulèrent, puis, d'un geste rageur, la jeune fille s'essuya les yeux. Olivier ne méritait pas qu'on pleurât sur lui ! Mais les larmes qu'elle refoulait lui brûlaient les paupières. Lasse comme si elle venait de parcourir des kilomètres à travers la tempête, Séverine quitta la chambre et descendit l'escalier afin d'aller reprendre sa garde auprès de Mme Bréval.

En traversant le hall où se trouvait le téléphone, elle pensa à appeler François pour lui faire part du malaise de sa grand-mère. Elle eût été soulagée de partager son inquiétude avec quelqu'un et François se montrait généralement rassurant et de bon conseil. Mais il lui faudrait en même temps révéler l'absence d'Olivier … Alors Séverine renonça, redoutant les commentaires que son fiancé ne manquerait pas de faire, son odieuse satisfaction du départ de celui qu'il détestait. Elle ne se sentait pas le courage d'affronter ses péroraisons sur la morale, sur la nécessité d'une vie stable et équilibrée.

Il ne comprendrait ni sa détresse, ni son désarroi, mais au contraire s'en irriterait. Non, la présence de François ne lui apporterait aucun réconfort. Accablée de peine et de solitude, elle devait en porter seule le fardeau.

*   *
*

Séverine refusa le déjeuner qu'un peu plus tard voulut lui servir Aurélie ; elle eût été incapable d'avaler la moindre miette.

— Faut pas vous laisser aller ! gronda la vieille servante. Vous n'avez déjà pas si bonne mine. Moi, je veux pas avoir deux malades sur les bras !

Comme toujours, sa sollicitude se cachait sous un ton bourru. Avec un soupir, elle ajouta :

— Cet Olivier, quand même, qu'est-ce qu'il nous aura pas fait voir !

S'identifiant à ses maîtresses, éprouvant les mêmes sentiments, elle disait « nous », tout naturellement.

— C'est égal, je n'aurais jamais pensé qu'il nous jouerait un tour pareil ! S'en aller comme ça sans rien dire, comme un voleur ! Pourtant, il paraissait heureux, je le soignais bien. Je lui cuisinais les plats qu'il aimait …

Sa voix se cassa, et son visage se crispa comme celui d'un enfant qui va pleurer. Le départ d'Olivier touchait durement son vieux cœur, et la rendait acariâtre. Elle s'essuya les yeux et, pour se soulager, s'en alla à la cuisine tarabuster l'innocente Emma, qui la regardait avec les yeux incompréhensifs d'un chien battu sans raison.

Durant les heures qui suivirent, une lourde atmosphère pesa sur la maison. La pluie continuait de tomber sans arrêt. Séverine ne quittait pas le chevet de l'aïeule qui, assommée par les médicaments, dormait sous la courtepointe à fleurettes. Parfois un vague sourire détendait les lèvres pâlies de la vieille dame. Peut-être rêvait-elle du temps lointain où elle était heureuse, entre son mari, ses enfants, sa petite-fille si sage et Olivier, si turbulent, imprévu, mais cependant aimé. A moins que ce fût à un avenir où l'ingrat reviendrait pour toujours, enfin assagi.

Glissant par les interstices, le vent soulevait les rideaux. Prompt à retrouver son confort, le chat somnolait. Quelquefois, bercée par le rythme lancinant de l'averse frappant les vitres, la jeune fille s'assoupissait, le front apuyé contre les montants du lit ; elle prolongeait cette somnolence où s'apaisait sa détresse.

Et puis à un moment, elle sursauta, ramenée à la réalité : qu'est-ce donc qui l'avait réveillée ? Elle s'était imaginé percevoir le roulement de pneus sur le gravier mouillé.

Séverine soupira. Combien de fois, dans l'avenir, ne lui semblerait-il pas entendre le bruit familier qui ne retentirait jamais plus ! Son regard se tourna vers la malade. Celle-ci reposait tranquillement, elle respirait de façon régulière.

Rassurée la jeune fille alla à la fenêtre, essuya la buée qui couvrait les vitres. Et elle se demanda si elle ne rêvait pas : une voiture s'arrêtait devant la maison.

*   *
*

C'était une voiture noire, un taxi. Un homme, le chauffeur, en descendit pour ouvrir la portière à son passager. Ni l'un ni l'autre n'avaient la silhouette d'Olivier, son allure aisée, son port de tête altier ; le second paraissait même légèrement difforme avec un côté du dos plus haut que l'autre sous une veste à demi enfilée, jetée simplement sur les épaules.

Soutenu par le chauffeur, il s'approchait de la maison, et Séverine porta la main à ses lèvres pour étouffer un cri de stupeur : c'était Olivier, cet homme à la démarche incertaine, à l'air épuisé.

L'OISEAU DE PASSAGE

Après s'être rapidement rassurée que Mme Bréval reposait calmement, elle quitta la pièce, se précipita au dehors et s'avança vers l'arrivant. Tandis que celui-ci réglait le chauffeur du taxi, Séverine constata que chaque mouvement coûtait un effort au jeune homme.

— C'est toi, c'est bien toi ! dit-elle.

Elle aurait voulu se jeter contre lui, poser sa tête contre sa poitrine ; son premier élan passé, elle demeurait immobile, comme pétrifiée. Elle éprouvait un curieux sentiment d'irréalité.

Tandis qu'après avoir remercié du pourboire, sans doute généreux, octroyé par son client, le chauffeur repartait, Olivier tourna vers la jeune fille un visage ravagé, dont une barbe de la veille accusait les méplats.

— Mais oui, c'est moi, et non pas mon fantôme ! répondit-il de son habituel ton moqueur. Quoique, tout bien pesé, il s'en soit fallu de peu que ...

— Que t'est-il arrivé ?

Il ébaucha un haussement d'épaules qu'il interrompit avec une grimace.

— La chose la plus banale du monde : un accident de voiture !

Séverine s'aperçut alors que ce qui déformait le dos d'Olivier était un pansement qui lui maintenait le bras en écharpe.

— Et toi qui me recommandais la prudence !

— Quand le diable s'en mêle, la prudence ne sert à rien.

— De quoi souffres-tu ?

— Une épaule démise. Une broutille.

Cependant l'angoisse de la jeune fille tardait à se dissiper.

— Pourquoi n'as-tu pas téléphoné, afin de nous rassurer ?

— Cela ne m'a pas été possible. On m'a emmené à l'hôpital, et dès ce moment, je ne me suis plus appartenu ; j'étais la proie des médecins et ils s'en sont donné à cœur joie.

A nouveau, il fit une grimace.

— Je te prie de croire que ce ne fut pas une partie de plaisir ! Quand les médecins ont cessé de malmener ma carcasse, je me suis endormi comme une brute, assommé par les drogues qui m'avaient été administrées. Aujourd'hui il a fallu refaire le pansement et on ne voulait pas me laisser quitter l'hôpital. J'ai pris la porte dès que cela m'a été possible. Plutôt que le téléphone, et dans l'incapacité de conduire, j'ai pris un taxi. Me voilà ...

Séverine le regardait et se persuadait peu à peu de la réalité de sa présence. Il était bien là, il n'avait pas été repris par le démon de l'aventure. Une joie si grande qu'elle ressemblait à la douleur lui gonflait le cœur ; elle dut se retenir pour ne pas éclater en sanglots. La pluie continuait à tomber, les statues de Cérès et de Pomone à pleurer dans les bosquets jaunis.

— Rentrons ! dit Olivier. Il est inutile d'attraper une pneumonie.

Ils pénétrèrent dans la maison et l'entretien se poursuivit dans le vestibule.

— Nous t'avons cru ... reparti, murmura Séverine.

Il leva les sourcils.

— Vraiment, mon ange ? Tu as pensé que j'avais filé,

sans rien dire, abandonnant mes beaux costumes tout neufs, et mes pulls de cachemire ?

Elle se passa la main sur le front.

— Eh bien, oui. C'est ce que l'on pouvait croire, n'est-ce pas ?

— C'est ce qui prouve qu'il ne faut jamais se fier aux apparences, affirma-t-il. Et mon départ présumé t'a perturbée au point d'avoir omis de te coiffer … et d'ajouter une pointe de fard à tes jolis yeux ?

Elle rougit de colère.

— J'avais bien autre chose en tête que la coquetterie ! dit-elle avec indignation. Quand Aurélie, envoyée dans ta chambre pour te prévenir que le petit déjeuner t'attendait, est revenue pour nous annoncer que tu ne t'y trouvais pas, que tu n'y avais pas passé la nuit, nous avons évidemment pensé que tu étais reparti au loin à nouveau … Grand-mère a été tellement bouleversée qu'elle a eu un malaise cardiaque.

Instantanément, toute trace d'ironie disparut du visage du jeune homme.

— Mon Dieu ! Est-ce grave ?

De le voir ainsi inquiet, Séverine éprouva une sorte de sombre satisfaction, un sentiment de revanche.

— Non, dit-elle. Pas autant qu'on aurait pu le craindre. Mais elle a plus de quatre-vingts ans, et à son âge, une pareille alerte est toujours mauvaise. Il lui faut du calme, du repos. Pour lui éviter la fatigue de monter l'escalier, nous l'avons, les servantes et moi, installée au rez-de-chaussée dans la chambre du fond. J'ai dû aussi aller chercher les médicaments, trouver le pharmacien de garde, etc... Tu dois bien comprendre que je ne pensais pas à me préoccuper de ma coiffure et de mon visage.

— Naturellement, murmura le jeune homme. Je suis désolé. Chère grand-mère ! Je vais aller la voir.

Avec autorité, Séverine freina son élan.

— Non, dit-elle. Pour le moment, elle dort. Et si tu te présentais ainsi subitement devant elle, l'émotion de te voir réapparaître risquerait de lui causer un choc aux conséquences graves. Je vais la prévenir de ton retour en prenant des précautions.

— Tu as raison, acquiesça-t-il. Que de sagesse dans cette petite tête ébouriffée !

Il reprenait son ton habituel, mais on sentait qu'il se forçait.

— Je vais donc aller me reposer dans ma chambre. Les drogues qu'on m'a fait ingurgiter m'ont abruti. J'ai beau être coriace, je ne puis prétendre tenir la pleine forme.

Elle le regardait, indécise, incertaine.

— As-tu besoin de quelque chose ? Veux-tu que je t'aide ? demanda-t-elle.

— Merci. Je me débrouillerai. J'en ai vu d'autres.

Ses yeux se durcirent, tandis qu'il ajoutait :

— On ne m'a pas comme cela !

Séverine vit alors sur son visage une expression de résolution implacable, qui, sans qu'elle sût pourquoi, lui fit peur. Tourné vers elle, il dit encore :

— Si, tu peux faire quelque chose pour moi : m'allumer une cigarette.

— Volontiers.

— D'une seule main, ce n'est pas très facile. Le paquet est dans la poche de ma veste, ainsi que mon briquet.

Docile, la jeune fille obéit ; en prenant les objets demandés, elle remarqua qu'Olivier portait une chemise qu'elle ne lui connaissait pas, et qu'une large tache de sang imprégnait la doublure du veston.

— Merci, mon ange, dit le jeune homme en tirant une bouffée. A tout à l'heure.

Séverine le regarda s'éloigner, prendre la direction de sa chambre, monter les marches de l'escalier ...

Tant de pensées se bousculaient dans sa tête qu'elle ne savait plus que croire.

CHAPITRE X

Ce qui se passa ensuite, les gestes qu'elle accomplit, les mots qu'elle prononça, demeurèrent toujours confus dans le souvenir de la jeune fille.

De crainte de la réveiller, elle hésitait à retourner auprès de Mme Bréval qu'elle avait laissée endormie, et décida d'aller tout d'abord avertir Aurélie du retour d'Olivier, afin qu'elle en tînt compte pour le dîner.

— Olivier est revenu ! annonça-t-elle en faisant irruption dans la cuisine. C'est-à-dire qu'il n'est jamais parti !

La servante interrompit les remontrances dont, pour tromper son chagrin et sa hargne, elle accablait l'innocente Emma, et tourna vers Séverine sa face de vieux dragon, soudain illuminée.

— Je savais bien qu'il ne pouvait pas nous avoir joué ce tour-là, de s'en aller sans prévenir personne, dit-elle, reniant allégrement sa conviction de la veille. Mais pourquoi alors n'est-il pas rentré comme on l'attendait ?

— Il a eu un petit accident d'auto, rien de sérieux, mais qui a cependant nécessité qu'il aille se faire panser à l'hôpital. Assez fatigué, il est monté se reposer dans sa chambre.

— Vous êtes fous, les jeunes, avec vos satanées mécaniques qui roulent trop vite ! grommela la servante. Où est-il blessé ?

— A l'épaule. Il ne peut guère se servir de son bras. Je venais vous demander d'y penser pour la préparation du dîner.

Aurélie prit un air offensé.

— Je sais ce que j'ai à faire, je n'ai pas besoin qu'on me commande ! répondit-elle avec hauteur.

Séverine ensuite gagna la chambre de Mme Bréval, qu'elle trouva dressée sur son lit, et l'air tout agité.

— Que se passe-t-il ? demanda la vieille dame. J'ai entendu le roulement d'une automobile et un bruit de voix. Il m'a semblé reconnaître celle d'Olivier. Suis-je folle, ou en proie au délire ?

D'un geste affectueux, la jeune fille posa la main sur l'épaule de l'aïeule.

— Calme-toi, grand-mère. Tu n'as pas le délire. C'est bien Olivier que tu as entendu.

La vieille dame joignit les mains.

— Dieu soit loué ! Ainsi, c'est vrai, il est bien là...

— Oui. Il n'est pas parti comme nous l'avions supposé, il a seulement été victime d'un accident.

Tout de suite, l'aïeule s'inquiéta :

— Il est blessé ?

Séverine répéta les explications données à Aurélie.

— Rien de sérieux. Mais il a été obligé d'aller se faire soigner à l'hôpital. Ne te tracasse pas, ce n'est pas inquiétant du tout. Tu t'en rendras compte par toi-même tout à l'heure, quand il viendra te voir.

— Cher enfant ! soupira Mme Bréval. J'aurais dû comprendre qu'il ne serait pas parti ainsi, sans explication ni adieu. Au fond, c'est un gentil petit.

Tel que se montrait à présent Olivier avec son visage buriné, ses cheveux gris, l'expression prêtait à sourire. Pour l'aïeule, il serait toujours l'adolescent d'autrefois, rebelle, indiscipliné, mais au cœur chaleureux.

— C'est bon de le savoir là à nouveau, soupira-t-elle.

L'air pacifié, elle retomba dans un sommeil tranquille, dont elle s'éveilla un peu plus tard en réclamant Olivier.

Le jeune homme vint la voir, mais ne s'attarda pas de crainte de la fatiguer. Après avoir assuré que son accident était sans gravité, il s'en fut à la cuisine taquiner Aurélie qui, d'un ton acariâtre, lui reprocha aigrement d'avoir manqué le soufflé, suggérant qu'il aurait pu s'arranger pour avoir son accident à un autre moment. Subjuguée, les pieds à l'aise dans ses charentaises, Emma les regardait, la bouche ouverte et les yeux arrondis. Tout rentrait dans l'ordre.

Olivier assista au repas, auquel il ne fit pas honneur, quoiqu'il se servît assez adroitement de sa main valide pour refuser de l'aide. Puis il remonta dans sa chambre. Toutes fenêtres obscurcies La Roselière s'endormit.

Relayée par Aurélie, Séverine veilla la malade. Lentement, la nuit s'écoula ; le ruissellement de la pluie sur les toits cessa enfin ; quelques étoiles apparurent dans le ciel, puis s'éteignirent. Le matin arriva.

Mme Bréval, reposée, tint à faire seule sa toilette, soigna son visage, ses cheveux, et annonça fermement son intention de se lever pour assister au repas de midi.

— Mon malaise est complètement dissipé, et il n'est pas bon de se dorloter trop, déclara-t-elle. Je ne tiens pas à devenir grabataire.

Séverine, cependant, téléphona à son employeur pour lui dire qu'elle ne viendrait pas travailler, l'état de sa grand-mère nécessitant sa présence. Le directeur de l'agence se montra compréhensif et accorda volontiers à la jeune fille les quelques jours de congé qu'elle demandait.

Délivrée de ce souci, Séverine se rendit à la cuisine prendre un café réconfortant. Avec une autorité qui ne tolérait aucune discussion, Aurélie annonça :

— Je monte son petit déjeuner à Olivier. Après le coup qu'il vient de subir, il a besoin de repos. Tant pis pour mes vieilles jambes !

Savoir le jeune homme livré à sa tutelle comme lorsqu'il était petit garçon en culottes courtes, souffrant d'une indisposition passagère, la réjouissait. Avec ostentation, elle rangea sur un plateau le pot de café, celui contenant le lait, les tartines beurrées. Se disposant à monter l'escalier, elle soupira hypocritement :

— Deux malades dans une maison, ce n'est pas rien !

En réalité, l'oisiveté lui pesait. Elle aimait s'activer, se dépenser. Se croire indispensable était sa raison de vivre.

— Très bien, dit Séverine. Moi, je vais aller voir si le facteur est passé.

Saisissant au passage un cardigan qu'elle endossa sur sa robe de chambre, elle sortit, et se dirigea vers la grille où chaque jour l'employé des postes déposait dans la boîte aux lettres le courrier de La Roselière. Courrier qui, la plupart du temps, se composait uniquement du quotidien régional auquel Mme Bréval était abonnée depuis de nombreuses années.

Il ne pleuvait plus, le déluge enfin avait cessé. Dans le ciel purifié quelques nuages se poursuivaient, évoquant l'image de grands oiseaux couleur d'ambre ou de perle. Le soleil brilla à nouveau : ses rayons encore timides touchaient les dernières feuilles accrochées aux arbres, transformant en dentelle d'or ce qui, les jours précédents, n'était que débris pourrissants. Dans leurs bosquets, Cérès et Pomone s'animaient d'une vie nouvelle. Cela ressemblait à un miracle. Mais pour Séverine, il n'y en avait pas de plus merveilleux que la présence d'Olivier, à nouveau dans sa chambre. Olivier qui n'avait jamais eu l'intention de partir...

Tandis qu'elle traversait le parc en direction de la grille d'entrée, la jeune fille respirait avec délices l'air frais, et comme allégé. Elle se sentait heureuse, sans vouloir en approfondir la cause, sans en chercher la raison ailleurs que dans le soleil revenu, l'éclat mauve des asters embrumés de pluie, et la fraîche odeur des buis mouillés.

Ce matin-là, comme presque tous les autres, il n'y avait dans la boîte aux lettres que le journal. Dès qu'elle fut rentrée, la jeune fille gagna le petit salon, déchira machinalement la bande du journal et, avec un intérêt distrait, se mit à en parcourir les colonnes. L'article de fond retint quelques minutes son attention, ainsi que le carnet d'état civil, grand intérêt de la vie de province. Puis elle négligea la politique et arriva aux faits divers. Un article lui sauta aux yeux :

« Mystérieux coups de feu rue St-Blaise »
« Un des quartiers les plus tranquilles de notre ville a
« été mis en émoi, samedi soir, par le bruit de plusieurs
« détonations. Il pleuvait à verse ; la petite rue St-Blaise
« était obscure — à cette occasion et à ce propos, nous
« jugeons bon de rappeler à nos édiles combien l'éclai-
« rage est insuffisant à cet endroit. A cette heure, la
« plupart des habitants de la rue étaient à table, ou
« se disposaient à s'y mettre ; certains, alertés par
« le claquement de coups de feu, ouvrirent leurs fenêtres
« et purent voir un homme qui sortait du bar le « Sélect »
« pour vraisemblablement gagner sa voiture stationnée

« non loin, vaciller et se retenir au mur, tandis qu'un
« autre, dissimulé dans une encoignure de porte,
« prenait la fuite.

   « Un des témoins offrit ses soins à la victime de
« l'attentat, qui refusa et s'opposa également à ce qu'on
« appelât la police. »

L'article concluait :

   « S'agirait-il d'un règlement de comptes ? Tout porte
« à le faire croire, en particulier la discrétion de l'homme
« attaqué. »

Séverine lut et relut les lignes imprimées, puis se plon-
gea dans de profondes réflexions. Il lui semblait voir
dans ce fait divers et l'accident arrivé à Olivier plus
qu'une coïncidence. Des idées fragmentaires allaient et
venaient dans sa tête et finissaient par s'ajuster. Après
avoir médité quelques instants, elle décida d'en avoir le
cœur net.

Après avoir replié le journal de manière que l'article
fût bien en vue, elle monta l'escalier conduisant à la
chambre de son cousin et frappa à la porte. Le cœur de la
jeune fille battait à grands coups, comme à l'approche
d'une révélation funeste.

— Entrez ! fit la voix d'Olivier.

Vêtu d'un pyjama dont le bleu vif réveillait un peu
d'azur dans ses yeux, il se tenait assis sur son lit, le dos
calé par un oreiller. Il avait un livre à la main, fumait une
cigarette à odeur de miel, et le chat Vaurien dormait près
de lui. Sur la table de chevet, placé à côté du plateau sup-
portant les restes du petit déjeuner, un transistor diffu-
sait des airs exotiques. A la vue de Séverine, le jeune
homme eut un regard étonné.

— Oh, c'est toi ! dit-il. Je pensais qu'il s'agissait
d'Aurélie venue chercher sa vaisselle.

Il baissa le son de l'appareil radio, posa son livre, et continua :

— C'est une surprise agréable, bien sûr. Mais tout d'abord, comment va grand-mère ?

— Pas mal. Elle a passé une nuit paisible et ce matin a déclaré vouloir se lever pour déjeuner. Je ne sais si je pourrai l'en empêcher !

— D'un sens, d'ailleurs, elle a raison. Dans son cas, il n'est pas tellement bon de rester couchée.

— Et toi ? Comment es-tu ce matin ? Je te trouve meilleure mine qu'hier.

Il passa sa main libre sur son menton.

— C'est parce que je suis rasé. Cela n'a pas été facile, mais j'y suis arrivé. Je ne connais rien de plus laid qu'un homme pas rasé !

Séverine pensa : « Pour moi, tu ne seras jamais laid. »

Mais elle prononça seulement, d'un ton neutre :

— Souffres-tu ?

Il eut ce sourire qui toujours semblait se moquer.

— Je pourrais te répondre que je souffre le martyre, pour t'apitoyer, me rendre intéressant. Mais je mentirais. En réalité c'est très supportable, seulement incommode, c'est l'affaire de quelques jours.

Il étira ses longues jambes, et poursuivit :

— C'est gentil d'être venue me voir. Vraiment, il y a des avantages à être éclopé. Tout à l'heure, faveur insigne, Aurélie m'a apporté mon petit déjeuner. Et maintenant c'est toi qui me rends visite. Vraiment, je suis gâté !

Il lui désigna une chaise proche de son lit :

— Assieds-toi. Ne reste pas debout comme une dame d'œuvres venue quêter, et pressée de repartir.

Tandis qu'elle obéissait, il reprit :

— Je ne crois pas que tu sois souvent entrée dans ma chambre, n'est-ce pas ?

Elle rougit, baissa les yeux au souvenir de son intrusion clandestine, la veille, dans cette même pièce, et de l'impression éprouvée que son occupant ne l'habitait pas réellement, et ne faisait qu'y passer. Mais aujourd'hui, parce qu'Olivier était là, tout semblait différent. Et le rayon de soleil qui rôdait, éclairant le tableau de Dali, le rendait moins inquiétant.

— Non, en effet, dit-elle, une flamme aux joues.

Il tira une bouffée de sa cigarette et la fixant, déclara :

— Bien que tu aies besoin d'un coup de peigne, je te trouve particulièrement mignonne, ce matin, ma cousine.

A nouveau, une buée rose monta aux joues de Séverine.

— Merci du compliment, dit-elle.

Comme toujours, il avait le don de lui faire perdre son sang-froid, de la rendre gauche et timide. Par la veste ouverte de son pyjama, elle voyait sa poitrine maigre et robuste, à la peau lisse ; de se trouver ainsi seule avec lui, la troublait. Tout en fumant, il continuait à la scruter de ses yeux gris.

— Mon ange, dit-il, mon petit doigt m'affirme que tu n'es pas venue uniquement pour me tenir compagnie. Dis-moi franchement la raison de ta visite, ma jolie cousine au cœur inquiet ?

Echappant à l'emprise de son regard, Séverine se ressaisit.

— Tu ne te trompes pas, dit-elle. Je suis venue pour te montrer... cela.

Elle lui tendit le journal plié à l'endroit de l'article relatant la mystérieuse agression. Nonchalamment, il prit les feuillets imprimés.

144

— De quoi s'agit-il ? Quelque chose de sensationnel ?

— Lis. Tu verras bien.

Il prit connaissance du texte et se redressa, les sourcils levés.

— La violence déferle partout, c'est un fait, dit-il avec componction. Voici qu'elle gagne à présent notre calme petite ville ! Je trouve cela navrant, mais je ne vois pas en quoi cela me concerne particulièrement.

Ironique à son tour, elle dit :

— Tu ne vois pas, vraiment ?

Endurci par d'autres interrogatoires, il soutint celui-ci sans sourciller.

— Ma foi, non.

Alors, elle s'irrita.

— Ne me prends pas pour une idiote, veux-tu ? J'ai suivi des cours de secourisme, je sais me rendre compte de la nature d'une blessure. Et, à ma connaissance, une épaule luxée n'a jamais saigné au point d'imbiber une chemise, qu'il t'a fallu remplacer et la doublure d'une veste !

Négligemment, il caressa le chat qui se mit à ronronner.

— Alors, à ton avis, que faut-il en déduire ?

— Que ton épaule soi-disant démise a été, en réalité, atteinte par une balle, ce qui explique l'épanchement de sang. Et que c'est toi la victime de l'agression dont parle le journal.

Il lança vers le plafond une bouffée de sa cigarette et dit posément :

— Décidément, mon ange, je te mésestimais. Tu es une petite futée.

Il prit un temps, avant de reconnaître :

— Tu as deviné juste. On a en effet tiré plusieurs

coups de feu sur moi, alors que je sortais du Sélect et me préparais à monter en voiture afin de gagner La Roselière et de déguster le soufflé au fromage d'Aurélie. Celui qui m'a attaqué devait être un bien mauvais tireur, car une seule de ses balles m'a touché à l'épaule, ne faisant du reste qu'érafler le muscle.

* * *

L'air diffusé en sourdine par le transistor faisait un accompagnement étrange aux propos qui s'échangeaient ; privé du rayon de soleil qui l'éclairait tout à l'heure, le tableau de Dali reprenait un aspect maléfique.

Troublée qu'Olivier reconnût aussi calmement l'attentat qui aurait pu causer sa mort, Séverine resta quelques instants à le regarder sans rien dire. Puis elle murmura :

— Tu aurais dû aller à la police, porter plainte !

Il fit un signe de dénégation.

— Je ne l'ai pas fait, et n'ai pas l'intention de le faire. Je ne veux pas donner de publicité à cette mésaventure, du moins pour le moment.

— Pourquoi ?

— J'ai mes raisons.

Il parlait sèchement, mais Séverine ne se tint pas pour battue.

— Est-ce que cela n'aurait pas un rapport avec l'enquête que tu as entreprise sur la mort du mari d'Arlène ?

Surpris, le jeune homme leva les sourcils :

— Comment sais-tu que j'ai fait une enquête ?

— Je l'ai appris par hasard, et d'une façon très simple. Alors que j'allais aux bureaux du courrier pour faire passer une annonce concernant la vente d'une maison, je t'ai vu sortir d'un endroit qu'on m'a dit être la salle des archives, et où l'on trouve les collections des anciens numéros du journal. Je m'y suis rendue à mon tour, et j'ai constaté, à son absence de poussière, que l'album datant de six ans avait été déplacé et, vraisemblablement, consulté. Un autre jour, dans les mêmes circonstances, je t'ai vu à nouveau quitter les bureaux du journal, accompagné d'un individu d'assez mauvaise apparence, et cette fois encore, l'album contenant les anciens numéros du journal paraissait avoir été feuilleté. La déduction était facile : j'en ai conclu que tu entreprenais une enquête sur le meurtre dont tu avais été soupçonné six ans plus tôt, afin de prouver ton innocence.

Il eut un bref sourire.

— Bien raisonné. Tu es diablement futée, je le répète, ma petite cousine !

Il lui opposait comme toujours cette barrière de légèreté par laquelle il voulait l'empêcher d'approfondir les choses. Sur le même ton, il continua :

— Je pourrais te répondre que mes actes ne te regardent en rien, et me refuser à te donner les explications que réclame ta curiosité, mais je reconnais que tu as bien deviné. L'homme que tu as vu avec moi est un détective privé que j'ai engagé pour qu'il fasse des recherches sur ce crime dont j'ai été accusé et découvre le véritable meurtrier. Il ne paye pas de mine, d'accord, et ne pourrait passer pour un gentleman, mais il connaît son métier, et il a déjà recueilli de précieux indices. L'agression dont j'ai été victime tend à prouver qu'il est sur la bonne voie.

Il resta quelques instants silencieux, puis reprit :

— Je ne puis encore rien affirmer, même si nous

avons de fortes présomptions. Mais trouver des preuves après six ans s'avère difficile ! Si nous arrivons à confondre le coupable, cela fera du bruit. Tu seras toi-même la première étonnée...

Comme s'il eût regretté de s'être montré trop tôt, le soleil ne reparaissait plus et la pièce demeurait sombre. Les arbres, qu'on apercevait par la fenêtre, découpaient sur le ciel gris avec une délicatesse d'estampe japonaise leurs rameaux dépouillés.

Timidement, Séverine demanda :

— Tu ne veux pas me dire qui tu soupçonnes ?

Il secoua la tête.

— Non. Cela te paraîtrait insensé.

La jeune fille n'osa pas insister, sentant que ce serait inutile, qu'Olivier se tairait s'il en avait décidé ainsi. D'ailleurs, il lui était arrivé maintes fois de constater qu'il n'aimait pas beaucoup parler de lui ; avec un pincement au cœur, elle se rendait compte qu'il ne faisait jamais allusion à son avenir, autrement que dans l'immédiat. Incertaine, elle murmura :

— Pourquoi ne pas communiquer à la police les renseignements obtenus ? Ce serait si simple.

Il étira un peu plus ses longues jambes, et sur le couvre-lit, le chat en fit autant.

— Parce que, mon ange, dit-il, j'ai résolu d'élucider moi-même ce mystère, et d'en avoir seul le mérite.

Sa voix résonnait, grave, solennelle, comme lorsqu'on prête serment.

— Mais, objecta Séverine, cela comporte des risques, du danger, l'agression dont tu as été l'objet le prouve ! Je vais trembler chaque fois que tu seras en retard pour le dîner !

— Allons, pas de défaitisme, répondit-il, en reprenant

le ton léger par lequel il masquait ses sentiments. J'ai été pris une fois par surprise, à présent je serai sur mes gardes, je ferai attention. Crois-moi, je sais me défendre.

Il s'interrompit et soupira.

— J'aurais mieux aimé que tu ignores tout de cette affaire, et ne l'apprennes qu'une fois terminée, mais le destin en a décidé autrement. Je le regrette... Il va sans dire que grand-mère doit tout ignorer, et continuer à croire que j'ai été victime d'un accident d'automobile bénin, je compte sur toi pour garder le secret.

— Bien entendu, dit Séverine. Mais moi, je ne pourrai pas m'empêcher de me tourmenter.

— Cela ne servirait à rien. Quels qu'en soient les risques, j'irai jusqu'au bout de la mission que je me suis imposée... Renoncer pour quelques coups de revolver d'un tireur maladroit, serait lâche. Vois-tu, Séverine, je n'abandonne jamais ce que j'ai entrepris. Je me suis fixé un but et, coûte que coûte, je l'atteindrai. Cela demandera peut-être du temps, mais là-bas, dans les cages de bambou, j'ai appris la patience.

Il prit un temps avant de poursuivre :

— Quand je serai certain d'avoir découvert le véritable coupable, je n'aurai pas de pitié, je veillerai à ce qu'il paye, que justice soit faite, et l'honneur rendu à l'innocent accusé à tort...

Cette fois, il ne plaisantait plus. Ses yeux où il ne restait aucune trace d'azur brillaient d'un éclat dur, implacable. Jamais Séverine n'aurait imaginé que le jeune homme capricieux, instable, qui, six ans plus tôt, avait pris le chemin de l'aventure en sifflant « Le Pont de la rivière Kwaï », pût faire montre de tant d'opiniâtreté, de caractère, dans la recherche des preuves de son innocence. Pareille ténacité semblait pourtant naturelle à cet homme au visage buriné sous des cheveux prématurément gris, dans lequel Séverine voyait réapparaître l'aventurier. En proie à une subite angoisse, elle fixait, comme fascinée, ces traits soudain devenus mystérieux et presque étrangers...

CHAPITRE XI

Ainsi que l'y avait autorisée son patron, Séverine n'alla pas travailler les jours suivants et demeura à La Roselière pour s'occuper de sa grand-mère. Celle-ci affirmait se porter tout à fait bien, manifestant même un peu d'agacement des soins dont on l'entourait. Elle s'était empressée de retourner dans sa chambre habituelle du premier étage, mais Séverine remarquait qu'elle s'essoufflait en montant l'escalier, devait parfois s'arrêter, et ne retrouvait ni ses forces ni son appétit.

Inquiet de ne pas voir sa fiancée à son travail, François avait téléphoné pour s'enquérir des raisons de son absence. Averti du malaise de Mme Bréval, il vint à La Roselière prendre de ses nouvelles et arriva dans une conduite intérieure noire, très différente de l'élégante décapotable d'Olivier — qui n'eût évidemment pas convenu à un notaire.

Dans le hall d'entrée, le visiteur se trouva en face d'Olivier qui lui tendit la main gauche en expliquant :

— Excusez-moi, ma main droite est inutilisable.

Il désignait son bras en écharpe.

— Que vous est-il arrivé ? demanda François.

Séverine, qui entrait à ce moment, entendit son cousin répondre avec un imperturbable sang-froid :

— Quelque chose de tout à fait banal : un accident d'auto. Je suis entré en collision avec une voiture qui devant moi a freiné trop brutalement — et je me suis luxé l'épaule.

Il se mouvait dans son mensonge avec une aisance qui choqua Séverine, mais elle ne pouvait que le soutenir. Du ton pontifiant et moralisateur qu'il prenait facilement, François répondit :

— C'est l'inconvénient de ces bolides trop légers. Ils sont d'un maniement difficile et peu faits pour nos petites routes. Je leur préfère les voitures classiques, moins élégantes, mais plus stables...

Naturellement, Olivier saisit l'intention peu amicale qui inspirait la réflexion ; d'un ton détaché, il répondit :

— Chacun ses goûts. Je garde les miens. L'accident, du reste, ne m'était pas imputable.

Avant que la controverse polie ne dégénérât et s'aigrît, Séverine entraîna son fiancé dans le salon où Mme Bréval somnolait devant le feu de bois.

— Grand-mère, dit-elle, je t'amène de la visite.

Elle s'efforçait de parler gaiement mais son cœur s'était serré à la vue de la vieille dame recroquevillée dans son fauteuil. Elle n'avait pas remarqué jusqu'à présent combien la maladie la laissait affaiblie et comme amenuisée. En ce moment, le visage encadré par les oreillettes de la bergère, avec ses cheveux blancs bien coiffés et ses joues qui se craquelaient sous le fard délicatement appliqué, elle faisait penser à une poupée fragile qu'on hésite à toucher de crainte de la voir s'effriter.

Cependant elle souriait, tendait la main au visiteur.

— Mon cher enfant, comme c'est gentil d'être venu me voir !

Le jeune homme s'inclinait, effleurait de ses lèvres les doigts frêles. Mais il lui manquait l'élégance indispensable à ce geste ; il y semblait balourd et emprunté. Olivier esquissa un sourire que Séverine surprit et qui la fit rougir.

— Il paraît que vous avez été souffrante ? reprit François.

La vieille dame eut une moue pour minimiser les choses.

— Oh ! rien de grave ! Une petite indisposition.

— Séverine aurait dû me prévenir ; je serais venu aussitôt.

— Je vous en remercie, mais cela ne valait pas la peine de vous déranger. C'était un malaise sans gravité dont je suis parfaitement remise aujourd'hui.

Elle se redressait, tapotait ses boucles dans un attendrissant souci de coquetterie. Elle appartenait à cette race de femmes qui se font un point d'honneur de ne jamais se laisser aller et de toujours demeurer soignées, par politesse envers les autres, et par élégance morale.

Faite surtout de lieux communs, la conversation s'engagea. Séverine veillait à en aplanir les écueils, à éviter que l'antagonisme latent entre François et Olivier se réveillât. Elle y réussit presque. Chacun des jeunes gens gardait sa réserve. Sous la modération des propos on pouvait néanmoins sentir un courant d'hostilité, toutefois il n'y eut pas d'anicroches.

Mais bientôt Mme Bréval donna des signes de lassitude. Elle se désintéressait des paroles échangées, dodelinait de la tête et semblait prête à s'assoupir.

— Je crois qu'il faut laisser grand-mère se reposer,

murmura Séverine à l'oreille de François. Elle n'est pas encore entièrement rétablie.

— Oh ! oui, bien sûr !

Le jeune homme se leva et prit congé, promettant de prendre des nouvelles ; Olivier se retira également. Après avoir accompagné son fiancé jusqu'à la porte, Séverine revint vers la vieille dame demeurée dans le salon, devant l'âtre. A l'entrée de la jeune fille, elle tourna les yeux vers elle et se plaignit doucement :

— A-t-on idée de cela ! Etre fatiguée pour avoir parlé durant une demi-heure ! Autrefois, je pouvais facilement bavarder tout un après-midi.

Elle avait l'air de demander à Séverine la raison de cette faiblesse. La gorge serrée, la jeune fille murmura :

— Tu oublies, grand-mère, que tu viens d'être assez sévèrement secouée, et que tu n'as pas encore récupéré. Tes forces reviendront jour après jour. En attendant, il ne faut pas en abuser.

Elle cherchait les mots, les termes les plus propres à réconforter la vieille dame.

— Tu as raison, dit celle-ci. Je suis sotte de ne pas l'avoir compris.

Elle se rasérénait un peu.

— François est gentil d'être venu me voir. J'en ai été très touchée, reprit-elle. C'est vraiment un brave garçon, qui a le sens de la famille. Il fera un excellent mari.

Séverine acquiesça sans enthousiasme.

— Certainement.

Elle ne s'expliquait toujours pas ce qu'elle éprouvait vis-à-vis de François. Elle était heureuse de le voir arriver, elle l'attendait ; penser à lui la réconfortait. Et puis sa présence la décevait et souvent même l'agaçait.

Songeuse, l'aïeule reprenait :

— Oui, François a toutes les qualités qui font les époux fidèles et sûrs, les bons pères de famille. Cependant...

Elle s'interrompit, crispa ses mains fluettes sur sa poitrine, et soupira.

— Je voudrais tellement être sûre que tu seras heureuse, ma petite fille !

Ses lèvres tremblèrent comme si elle allait ajouter quelque chose, puis elle ferma les yeux. Durant plusieurs minutes elle demeura ainsi, immobile et silencieuse, le visage las, la respiration courte.

— Tu te sens mal, grand-mère ? s'enquit Séverine, penchée sur elle.

Comme si cela lui coûtait un immense effort, la vieille dame souleva les paupières.

— Mais non !

— Ne te tracasse pas pour moi, grand-mère chérie, assura la jeune fille inquiète. Tout ira très bien. Pense seulement à te rétablir vite.

— Oui, je sens que ça va aller, affirma-t-elle.

Puis elle enchaîna :

— François et Olivier m'ont eu l'air de mieux s'entendre, aujourd'hui.

Ainsi l'antagonisme des deux jeunes gens n'avait pas échappé à la clairvoyance de la vieille dame. Peu désireuse de s'étendre sur le sujet, Séverine reconnut brièvement :

— En effet.

Elle se fût félicitée de ce que l'entrevue entre son fiancé et son cousin se soit bien passée s'il n'y avait eu l'angoisse que lui donnait l'affaiblissement de sa grand-mère, sa fatigue accrue et ses lèvres bleuies. Jusqu'à ce moment la pensée de la mort de son aïeule n'avait fait qu'effleurer la jeune fille. Elle la chassait aussitôt. A présent, l'idée s'imposait et une lourde chappe de chagrin s'appesantissait sur ses épaules.

Tout bas, elle implorait :

« Pas encore, mon Dieu, pas encore. »

Qu'on laisse à la tendre aïeule quelques années pour profiter d'une aisance retrouvée grâce à Olivier, et de la quiétude de savoir l'avenir de sa petite-fille assuré.

Ravalant ses larmes Séverine se pencha, déposa un baiser sur le doux visage fané.

— Je vais faire revenir le médecin, dit-elle avec résolution. Il te donnera d'autres médicaments pour que tu te remettes plus vite.

La malade eut un geste de lassitude.

— Fais comme tu veux.

Le docteur préconisa des fortifiants, des vitamines, du calcium, mais les remèdes dont on attendait des miracles n'obtinrent que de médiocres résultats. Mme Bréval demeurait faible, avec une respiration courte et rapide qui faisait dans sa poitrine un bruit de galop, et des trous de mémoire de plus en plus fréquents. Séverine dorlotait et choyait sa grand-mère de son mieux. Par une sorte de superstition bien connue de ceux qui redoutent un malheur, elle taisait à Olivier ses appréhensions et ses craintes.

Celui-ci allait régulièrement à l'hôpital pour qu'on lui refît son pansement. Séverine l'y conduisait. Ayant suivi des cours d'infirmière, la jeune fille lui avait proposé de s'en occuper, mais, à son étonnement, le jeune homme s'y était obstinément refusé. D'ailleurs, la blessure se cicatrisait bien, et il lui fut assez vite possible de reprendre l'usage de son bras.

Il put donc recommencer à conduire et se rendre à nouveau en ville où il retrouvait ses amis, le détective privé chargé de mener son enquête, et la belle Arlène, évidemment...

Aux conseils de prudence que lui donnait Séverine, il souriait de ce sourire mystérieux qu'il avait ramené d'Asie.

* * *

Quelques jours s'écoulèrent, sans histoire. Et puis un matin...

Ce jour-là ressembla d'abord aux autres ; Séverine ne s'aperçut que plus tard de son importance — On ne comprend souvent qu'après coup les indices susceptibles d'orienter sur la voie d'une découverte.

Il faisait un temps gris et triste ; encombré de brume, le ciel ne donnait qu'une pauvre lumière. Le brouillard enveloppait la maison qui paraissait endormie, il amortissait tous les bruits. Fait exceptionnel, nul éclat de voix ne venait de la cuisine où, généralement, Aurélie et Emma se chicanaient sans arrêt. Seuls se faisaient entendre des sons indéfinissables ; craquement des poutres taraudées par les vers, trottinement des souris dans les combles inhabités — les sons des vieilles maisons qui révèlent une secrète existence.

— Il ne va pas faire clair de la journée, soupira Mme Bréval.

Elle était dans sa chambre, et Séverine l'aidait à se coiffer, à ramasser sur le sommet de la tête les boucles qu'elle aimait porter comme au temps de sa jeunesse, sans souci d'une mode qu'elle jugeait peu seyante. Mais depuis son malaise cette opération la fatiguait beaucoup. Comme elle ne pouvait en charger Aurélie, aux mouvements trop brusques, et encore moins Emma, ce soin revenait à sa petite-fille.

Tout à coup, dans un silence un peu solennel, l'horloge du vestibule égrena onze coups. Tel un prolongement du dernier, la cloche d'entrée se mit à retentir.

— Qui peut venir à cette heure ? s'étonna Mme Bréval. Ce n'est pas l'heure des visites quand on ne s'est pas annoncé !

— Sans doute un représentant, ou un démarcheur de compagnie d'assurances, répondit Séverine, distraitement. Emma a dû aller ouvrir.

Mais Mme Bréval s'agitait.

— Justement ! Cette fille est si sotte que je crains de lui voir commettre une erreur, et qu'elle introduise au salon quelqu'un qu'il vaudrait mieux évincer !

— Je vais aller voir, dit Séverine.

Elle assujettit par une épingle neige la mèche de cheveux qu'elle venait de rouler en boucles sur la tête de l'aïeule, et, quittant la pièce, descendit l'escalier. Dans le vestibule, elle se trouva en présence d'Emma qui, généralement amorphe, paraissait à cet instant tout excitée.

— Quelqu'un est venu, Emma ? demanda Séverine.

La demeurée hocha vigoureusement la tête.

— Oui, dit-elle. Une Chinoise.

— Une Chinoise ? répéta Séverine interloquée.

— Oui, affirma Emma.

Des deux mains elle étira ses paupières vers les tempes.

— Elle a des yeux comme ça...

Visiblement enchantée de l'effet produit, elle ajouta :

— Elle voulait voir M. Olivier. Alors, je l'ai appelé, et il l'a fait entrer là...

Elle désignait la porte d'une petite pièce jusqu'alors inutilisée. Depuis son retour, Olivier en avait fait son cabinet de travail. Il y rédigeait un courrier très abondant, et, curieusement, fermait la porte à clef, comme s'il y eût enclos d'importants secrets. Un bruit de voix s'en échappait. Malgré elle Séverine prêta l'oreille, mais les mots qui lui parvinrent étaient incompréhensibles.

— Ils parlent charabia, dit Emma.

Nul doute qu'elle n'eût elle-même essayé de comprendre ce qui se disait de l'autre côté de la porte, dépitée de ne pas y parvenir. Agacée par sa présence Séverine lui enjoignit de regagner la cuisine, où l'attendait sûrement quelque tâche ; dévorée de curiosité, la servante s'y résigna non sans regrets.

Bientôt la porte du cabinet de travail s'ouvrit, livrant passage à Olivier et à celle qu'Emma avait appelée une Chinoise. C'était, en réalité, une Eurasienne, et belle comme le sont souvent les métisses. Elle portait avec élégance un manteau noir garni d'un col de fourrure. Ses mains tremblaient sur la poignée de son sac, et dans ses yeux noirs un peu bridés, seule trace de la race jaune, brillaient des larmes retenues à grand-peine.

Elle regarda Séverine, puis tournée vers Olivier, elle lui parla d'une voix zézayante, semblable à un pépiement d'oiseau ; le jeune homme lui répondit dans le même langage. Il fumait, et comme pour les isoler un nuage de fumée bleue les enveloppait, lui et l'étrangère.

Celle-ci hocha la tête plusieurs fois comme pour un acquiescement. Puis dans un français hésitant, de sa voix pareille à un gazouillis, elle prononça quelques mots :

— Moi suis désolée vous avoir dérangé. Puisque être trompée, plus rien à faire ici, et devoir m'en aller. Dire à vous adieu, et excuse.

Elle inclina légèrement le buste en manière de salut, puis se redressa, et, avec une réelle dignité, ouvrit la porte et sortit. Olivier et Séverine la virent s'éloigner, droite et mince, d'une démarche harmonieuse, serrant frileusement contre elle son manteau noir. Quand elle eut disparu, happée par le brouillard, Séverine referma la porte, et frissonna, comme si cette créature de soleil eût avec elle apporté le froid.

Tournée vers Olivier, d'un ton qui se voulait léger, la jeune fille demanda :

— Qui est cette beauté exotique ?

Très vite, comme s'il se fût attendu à la question et qu'eût d'avance préparé la réponse, il expliqua :

— Une amie de ... Julian. Une amie très chère, très intime. Sa fiancée, pourrait-on dire, car il se proposait de l'épouser. J'étais au courant de ses intentions.

Séverine eut un haut-le-corps.

— Epouser ... cette Asiatique ?

En temps ordinaire, elle n'était pas raciste, au contraire elle considérait même avec sympathie les étrangers qui aimaient la culture française. Mais un obscur sentiment dans lequel il entrait une bonne part de jalousie l'envahissait envers l'Eurasienne en raison de sa beauté et surtout parce qu'elle appartenait à un passé dans lequel elle-même n'avait pas de place. Un passé qu'Olivier n'évoquait jamais qu'à contrecœur.

Assez sèchement, le jeune homme rétorqua :

— Pourquoi pas ? Il y en a de charmantes et de fort distinguées. Einko — c'est le nom de celle-ci — est du nombre.

Séverine pinça les lèvres.

— Tout de même...

Il la considéra, les sourcils levés, et soupira :

— Tu me déçois, mon ange ! Tu raisonnes comme une petite bourgeoise provinciale, bourrée de préjugés rétrogrades. Ton fiancé, le futur notaire, ne parlerait pas autrement, mais toi, tu m'étonnes... Certains de ces mariages entre blancs et asiatiques sont parfaitement réussis. J'aurais donné ma bénédiction à celui-là.

Comme elle ne répondait pas, il poursuivit :

— La mort de Julian a naturellement bouleversé la vie d'Einko. Il lui a fallu se chercher du travail... et elle a connu bien des difficultés. Venue en France, avec une famille française dont elle s'occupait des enfants, elle a été licenciée et n'a pas retrouvé d'emploi. Sans ressources et connaissant les liens d'amitié qui m'unissaient à son fiancé, elle est venue me demander de l'aider.

— Mais comment t'a-t-elle retrouvé ?

— Les consulats se chargent de ces recherches.

De sa main qui tenait la cigarette, il dessina un signe dans l'air.

— Je n'ai pas eu un instant l'idée de refuser le secours qu'elle me demandait, car je me sens des obligations morales envers la compagne de Julian. Je lui ai donné de l'argent pour qu'elle puisse retourner dans son pays où la vie lui sera plus facile... C'est une histoire pitoyable, conclut-il.

Séverine ne répondit pas. Elle avait beaucoup de mal à éprouver de la pitié envers l'étrangère trop séduisante ; au contraire, tout comme lorsqu'il s'agissait d'Arlène Rouvier, elle sentait un nœud mauvais se former dans sa poitrine.

En outre, quelque chose lui avait semblé sonner faux dans les explications fournies par Olivier — elle n'aurait su dire quoi. En regardant celui-ci, elle remarqua que, curieusement, ses prunelles à ce moment se teintaient d'un azur retrouvé ; elle crut y lire la nostalgie des pays lointains d'où venait la belle Eurasienne, de ce passé d'aventures qui, peut-être, le ressaisirait un jour.

CHAPITRE XII

Noël approchait.

Exceptionnellement dans ce pays de la douceur de vivre, au climat si tempéré, l'hiver se faisait froid. Cette année-là il neigeait ; des flocons allaient et venaient ; de paresseuses fumées s'élevaient des toits pour se perdre dans le ciel gris et les branches des arbres supportaient un fardeau de neige sous lequel parfois elles se rompaient. Toute vêtue de blanc, La Roselière prenait l'aspect irréel d'une carte anglaise de « Christmas ». Dans les bosquets, le houx se parait de grains rouges, comme pour une fête. Mais les corbeaux croassaient sinistrement en étendant leurs ailes sombres sur les champs immaculés.

La vie continuait paisible en apparence. Olivier s'absentait toujours beaucoup, sans en expliquer les raisons. Interrogé, il répondait évasivement, prétendant vaquer à ses affaires, voir ses banquiers, rencontrer les membres de sociétés dans lesquelles il avait des intérêts, ce qui pouvait être vrai.

Mme Bréval ne se remettait pas, bien au contraire, elle perdait ses forces un peu plus chaque jour. Faute de pouvoir compter sur Aurélie qu'une crise de rhumatisme rendait à peu près invalide, Séverine, pour soigner sa grand-mère, dut renoncer à son emploi.

Parfois, le tourment de voir la tendre aïeule décliner ainsi cédait chez la jeune fille à un autre souci moins avoué. Elle se demandait ce que faisait vraiment Olivier en ville, s'il continuait à fréquenter Arlène Rouvier, et s'il poursuivait son enquête. Elle craignait aussi qu'il fût victime d'un autre attentat semblable à celui dont il portait la trace.

Un jour, n'y tenant plus, elle se hasarda à le questionner :

— Est-ce que ... tu poursuis tes recherches ?

— Certainement, dit-il. Je n'ai pas l'intention de renoncer.

— Avances-tu ?

Il acquiesça.

— Oui. Cela se dessine. Burdin — c'est le nom de mon enquêteur — vient justement de rentrer du Midi.

Etonnée, elle répéta :

— Du Midi ? Qu'allait-il faire là-bas ?

— Mais ... y travailler pour l'affaire dont je l'ai chargé, naturellement !

— Et ... il a trouvé quelque chose ?

— Oui. Il a rapporté des indications extrêmement intéressantes, qui confirment nos soupçons en tous points. Maintenant, il faut réunir des preuves, car jusque-là nous n'avons que des présomptions, nombreuses certes, mais insuffisantes pour faire rouvrir l'instruction.

Il parlait en pesant ses mots. Séverine protesta :

— Il faut t'arracher les paroles ! C'est agaçant à la

fin ! Tu ne veux absolument pas me dire de qui il est question, quel coupable tu soupçonnes ?

Comme elle s'y attendait il esquissa un vigoureux signe de dénégation.

— Non ! Si je te disais le nom de celui que j'accuse, tu ne me croirais pas, tu penserais que je suis fou et je reconnais qu'à première vue cela paraît assez délirant... Pourtant, je suis certain de ne pas me tromper, mais je préfère me taire en attendant de pouvoir prouver ce que j'avance.

Elle comprit qu'il serait inutile d'insister, et se tut. Elle aurait bien aimé également lui parler de la belle Eurasienne, lui demander s'il avait de ses nouvelles, mais elle savait qu'il éluderait ses questions. Olivier demeurait fermé, mystérieux, souvent ironique. Sa réserve ne se démentait jamais. Il lui arrivait parfois de faire montre d'une gaieté caustique ; si elle voulait en connaître la cause, il lui répondait invariablement :

— Rien, rien !

Du reste elle en revenait vite à son tourment majeur, la santé de sa grand-mère. A chaque instant, il lui semblait entendre un appel du premier étage où était située la chambre que Mme Bréval ne quittait plus guère. Vaincue par la lassitude, sa coquetterie elle-même l'abandonnait : elle ne supportait plus que Séverine la coiffât comme elle l'aimait, et privé de son auréole de boucles, son visage paraissait curieusement rétréci.

Ce jour-là, elle ne semblait ni plus faible, ni plus malade que les autres jours. Elle était même descendue déjeuner à la salle à manger, ce qu'elle ne faisait plus que rarement, et elle fit des compliments à Aurélie sur sa blanquette de veau. La vieille dame vint s'installer ensuite dans le petit salon, à sa place favorite, devant le feu, et se mit à somnoler.

Après avoir parcouru le journal, Olivier se leva :

— Je dois sortir, aller en ville pour mes affaires, annonça-t-il.

— Est-ce ... urgent ? demanda Séverine. Les routes sont mauvaises.

Il remonta la fermeture de son blouson de daim grenat, une de ces tenues décontractées qu'il affectionnait et que blâmait François.

— Oui. Des questions à régler.

Après quelques jours passés à La Roselière, il éprouvait sans doute le besoin de se détendre, de retrouver ses amis, Arlène y comprise...

— Très bien, dit Séverine d'un ton qu'elle essayait de rendre neutre. Ne rentre pas trop tard. Et sois prudent.

— Entendu, promit Olivier avec un peu d'agacement.

A cet instant, Mme Bréval entrouvrit les yeux.

— Va, mon enfant, dit-elle de sa douce voix embrumée. Ne t'inquiète pas pour moi, je ne me sens pas mal.

Après avoir déposé un baiser léger sur les cheveux argentés, le jeune homme sortit et la vieille dame referma les paupières pour les rouvrir ensuite.

— Séverine, demanda-t-elle, quel jour sommes-nous ?

— Le mardi 20 décembre, répondit la jeune fille.

— Le 20 décembre ! répéta Mme Bréval.

— Oui. Ce sera bientôt Noël.

— Noël !

L'aïeule rêva un instant.

— Noël ... la plus belle fête de l'année. Aucune ne peut lui être comparée. Comme il y eut autrefois de beaux Noëls à La Roselière quand Olivier et toi étiez petits !

— Mais, grand-mère, celui qui vient sera aussi très beau, puisque Olivier est de nouveau avec nous !

La vieille dame hocha la tête sans répondre, referma les yeux et demeura immobile. Sa respiration se faisait plus rapide, plus saccadée. Et puis, elle frissonna.

— J'ai froid, se plaignit-elle.

Aussitôt debout, Séverine alla consulter le thermomètre placé près de la fenêtre et s'étonna :

— Mais, grand-mère, avec le radiateur et le feu de bois, nous avons plus de vingt-trois degrés !

— Tout de même, dit l'aïeule, j'ai froid.

Séverine remit une bûche dans la cheminée, attisa le foyer, puis revint à la malade, lui toucha le front qu'elle trouva à la fois moite et glacé.

— Tu ne te sens pas bien, grand-mère ? demanda la jeune fille.

— J'ai seulement froid, dit Mme Bréval.

— Veux-tu un châle, ton gros peignoir ?

— Non. Je crois que je ferais bien d'aller me coucher.

Elle grelottait, et, sur sa peau, d'étranges petits frissons couraient, semblables à ceux que fait le vent en effleurant une eau morte.

— Veux-tu monter à ta chambre, au premier, ou te reposer dans celle du rez-de-chaussée ?

La malade parut évaluer l'effort nécessaire pour gravir l'escalier et ne dut pas s'en croire capable. Elle murmura avec un soupir :

— Non. Il vaut mieux que j'aille dans celle du bas. Ce sera plus pratique.

Elle refusa que Séverine appelât Aurélie ou Emma pour l'aider, affirmant que ce n'était pas nécessaire, et soutenue par sa petite fille, gagna à tout petits pas la chambre qui, quelques semaines plus tôt, l'avait accueillie. Lorsqu'après beaucoup de difficultés la malade fut étendue sur le lit, que Séverine l'eût recouverte de la courtepointe à palmettes jaunes et vertes, la jeune fille alla rapidement ordonner à Emma d'allumer dans la cheminée un feu. Il crépita bientôt, ajoutant à la chaleur des radiateurs.

Séverine éprouva un bref soulagement à voir le visage tranquille, les paupières closes de l'aïeule qui semblait dormir... Et puis, eut le sentiment que, sous ce calme apparent, sa grand-mère s'en allait, reculait en marge du monde où s'ébattaient les vivants, et déjà se réfugiait ailleurs, dans un univers régi par des lois inconnues.

Saisie d'une brusque panique, elle s'élança vers le téléphone, appela le médecin qui promit de venir aussitôt. De fait, arriva peu après.

— Ce n'est rien, rien du tout, dit-il après avoir examiné la malade et en rangeant son stéthoscope. Un peu de fatigue, très normale. Cet hiver est éprouvant.

Cependant, il se détournait pour cacher une grimace significative. Il fit une piqûre et ajouta :

— Voilà qui va vous faire du bien !

De la voix réconfortante, persuasive, qui fait partie des exigences de la profession médicale, le docteur reprit :

— Je suis sûr que vous vous sentez déjà mieux !

Mme Bréval hocha la tête, sourit faiblement.

— Oui, oui... Merci, Docteur.

— Parfait dit le médecin. Je vous laisse vous reposer, c'est ce qu'il vous faut : du calme, beaucoup de calme. Je reviendrai demain.

Dans le couloir où Séverine l'avait accompagné, il perdit son optimisme de commande.

— Le cœur flanche, dit-il d'un ton soucieux.

— Mon Dieu !

— Mais elle peut surmonter cette crise. La piqûre que je lui ai faite l'y aidera. Hélas, nous ne sommes pas des dieux ! Bon courage. A demain.

Séverine reprit sa garde auprès de la malade. Quand Olivier arriva peu après, elle se précipita impulsivement à sa rencontre, oubliant cette fois de se demander d'où il venait, et d'essayer de reconnaître sur ses vêtements le parfum d'Arlène.

— Olivier ! Oh ! Olivier ... soupira-t-elle.

Il l'entoura de son bras valide. Avec abandon, Séverine se laissa aller contre son épaule. De sentir la tiédeur de son contact, de percevoir les battements proches de son cœur, elle éprouva une joie qui la submergea toute. Elle aurait voulu rester ainsi longtemps, toujours. Puis troublée, confuse, elle se ressaisit, s'écarta.

— Te voilà enfin ! murmura-t-elle. Je me demandais si tu arriverais !

— Que se passe-t-il ?

Il remarqua alors son expression bouleversée, et son propre visage changea.

— C'est ... grand-mère ?

— Oui. Elle n'est pas bien. J'ai cru bon d'appeler le médecin.

— Et alors ?

— Son cœur se fatigue.

Après un silence, Séverine ajouta :

— Olivier, j'ai peur !

Il lui caressa l'épaule.

— Allons, ne t'affole pas. Ce n'est peut-être pas aussi grave que tu te l'imagines. Elle peut s'en tirer cette fois encore.

— C'est l'avis du médecin, soupira la jeune fille.

Comme on protège une flamme contre le vent, elle s'efforçait de fortifier le fragile espoir qui vacillait en elle. Cependant, Olivier ébauchait un sourire amer :

— Et moi qui justement ...

Il s'interrompit, et Séverine ne releva pas ses paroles.

— Peu importe, reprit-il. Où est grand-mère ?

— Dans la chambre du fond. C'est plus pratique.

— Oui, c'est le mieux, approuva-t-il. Nous monterons la garde chacun notre tour.

* *
*

Il y eut un somptueux crépuscule rouge et or ; puis la nuit vint et la veillée commença. Ayant refusé l'aide d'Aurélie qui se lamentait d'être tenue à l'écart, les deux jeunes gens se relayèrent au chevet de la malade.

Olivier faisait un excellent infirmier. De sa démarche souple de grand félin il se déplaçait silencieusement dans la chambre de la malade, savait avec adresse remonter les oreillers, relever une mèche de cheveux, essuyer d'une main légère les gouttes de sueur qui perlaient sur le front livide. Séverine lui faisait confiance pour prendre soin au mieux de la chère aïeule.

Après une longue période où il demeura seul près d'elle, la jeune fille revint prendre son tour de garde.

— Comment va-t-elle ?

Olivier eut un geste vague.

— Difficile à dire. Elle ne paraît pas souffrir.

— L'effet de la piqûre sans doute. Va te reposer.

— A tout à l'heure. Ne crains pas de m'appeler si tu le juges nécessaire.

— Entendu.

Penchée sur la malade, la jeune fille écoutait son souffle irrégulier, épiait le visage marqué d'ombres, et les mains jointes, elle priait :

— Mon Dieu ...

Mme Bréval ouvrit soudain les yeux ; un instant, son regard incertain sembla chercher autour d'elle quelque chose qu'il ne trouvait pas. Puis, d'une voix presque imperceptible, elle appela :

— Séverine ! Où es-tu ?

La jeune fille se pencha davantage.

— Je suis là, grand-mère chérie. Je ne te quitte pas. Comment te sens-tu ?

— Oh ! Pas mal. Seulement, j'ai toujours froid.

Son front pourtant luisait de transpiration.

Après un instant de silence, elle reprit :

— Et ... Olivier ? J'ai cru le voir ici, tout à l'heure.

— Tu ne t'es pas trompée. Il était là, en effet. Maintenant, il dort.

— Ma petite-fille... Ecoute... reprit la malade.

Elle haletait ; les lèvres desséchées avaient peine à former les mots.

— Je voulais te dire ... au sujet d'Olivier. Te dire ...

Elle s'interrompit, reprit péniblement sa respiration.

— Quelque chose ... que ... j'ai compris et que ... je ne retrouve pas.

Elle fronçait les sourcils, à la poursuite d'une pensée qui la fuyait, qu'elle n'arrivait pas à saisir.

— Je ne sais plus ... dit-elle, avec accablement. Pourtant ... c'était important.

— Ne te fatigue pas, grand-mère chérie, dit Séverine tendrement.

— Peut-être pas si ... important, après tout, dit encore la malade ... L'essentiel n'est pas ... là.

Cette fois encore, elle s'arrêta. La jeune fille se demanda quelles paroles la malade aurait désiré prononcer, quel avertissement peut-être lui donner. Il y eut dans l'air comme une vibration émanant de ces pensées informulées, de ces mots retenus ...

A présent, épuisée, Mme Bréval se taisait. Dans un ultime effort, elle tendit vers Séverine une main fluette dans laquelle celle-ci glissa la sienne. La malade, alors, faiblement serra la main fraîche, puis elle referma les yeux et un mystérieux sourire détendit ses lèvres.

Sa respiration était si faible qu'on l'entendait à peine. La maison tout entière semblait retenir son souffle. Seul le bruit de l'horloge qui, dans le vestibule, scandait les minutes, le vent qui jouait dans les cheminées ses complaintes, ou encore la chute d'un bloc de neige tombant d'une branche, trouaient le silence ouaté. Le feu lui-même chuchotait tout bas.

Malgré ses attendrissants rideaux à palmettes, son mobilier au charme désuet, la chambre s'imprégnait d'angoisse.

Les heures s'étiraient. Sauf quand elle attendait le retour d'Olivier un mois plus tôt, Séverine n'avait jamais connu de nuit si longue. Arriver au matin était pour elle comme une victoire à gagner.

L'OISEAU DE PASSAGE

De temps en temps, elle observait la malade. A première vue, celle-ci paraissait reposer paisiblement. Mais imperceptiblement, comme lorsque tombe le soir, que s'éteint peu à peu dans le ciel la dernière lueur du jour, le sourire s'effaçait sur les lèvres de Mme Bréval. Sa main, dans celle de sa petite-fille, se refroidissait lentement.

* *
*

Le jour se levait dans une trouble vapeur, quand Olivier vint pour relever Séverine. Il la trouva agenouillée près du lit, les lèvres sur cette main glacée qu'aucun baiser ne réchaufferait jamais plus.

Il ne posa pas de questions, comprit du premier regard que la sinistre visiteuse était passée. Il releva la jeune fille qui s'abattit sur son épaule en pleurant.

— Elle est ... partie, sanglota-t-elle. Je n'ai pas su la retenir ...

— Tu as fait tout ce qui était humainement possible. Maintenant, va te reposer : tu ne peux plus rien pour elle. Je me charge de tout.

Epuisée, elle gagna sa chambre, se mit au lit, et sombra aussitôt, dans un sommeil bienfaisant.

Olivier s'occupa de toutes les formalités et démarches dont s'accompagnent les décès. Le chagrin se lisait sur son visage creusé, ses yeux battus, mais il le subissait en homme habitué aux épreuves et il épargnait à Séverine tout ce qui risquait d'aggraver sa peine. Elle lui obéissait aveuglément, docile comme une somnambule en transes ; sans presque s'en être aperçue elle se trouva pourvue de vêtements de deuil.

Dignes et discrètes, les obsèques eurent lieu. Il vint beaucoup de monde car Mme Bréval était connue et aimée dans la région. Si François et ses parents y assistèrent, l'oncle Arsène se fit excuser. Ils se montrèrent aussi protocolaires qu'on pouvait s'y attendre. Leurs formules de condoléances, compassées et sans chaleur, furent à leur image.

Mince et pâle dans ses vêtements noirs, Séverine s'efforçait de faire montre de courage, mais, éperdue de chagrin, elle distinguait à peine les visages des uns des autres.

Selon la coutume, un repas fut servi aux assistants, cuisiné tant bien que mal par Aurélie, le visage gonflé de larmes, mais qui pour rien au monde n'eût admis qu'on manquât à cet usage. C'eût été faire injure à la morte ! Il fut servi par Emma, reniflante, et plus ahurie que jamais.

Soucieuse de rendre le même hommage que la vieille servante, Séverine se tenait au milieu de la table. Poursuivant cette sorte de songe où elle évoluait depuis la mort de sa grand-mère, la jeune fille eut soudain l'impression que, bien coiffée, délicatement maquillée comme elle aimait le faire, Mme Bréval allait venir présider le repas. Hagarde, vacillante, elle se leva de sa chaise.

Olivier, dont la vigilance ne se démentait pas, s'élança pour la soutenir.

— Tu n'en peux plus, dit-il. Nos invités t'excuseront. Je t'accompagne à ta chambre.

François qui s'était approché, protesta :

— Permettez, dit-il. Ce soin me revient.

Olivier, les yeux aussi froids que des glaçons, le toisa.

— Je ne pense pas qu'en cet instant vous puissiez le revendiquer ...

Une fois de plus, ils s'affrontaient, tels deux coqs de combat. François céda le premier. Il eut toutefois sur son visage une expression qui disait sa certitude d'avoir plus tard sa revanche.

— Soit. Nous nous expliquerons à un autre moment.

Ce rapide incident troubla à peine l'inconscience dans laquelle flottait Séverine. Elle se laissa passivement conduire à sa chambre.

La douce aïeule, maintenant, reposait en paix au cimetière, sous la pierre couverte de fleurs. Mais, pour les vivants, l'existence continuait.

CHAPITRE XIII

Celui qui souffre se complaît parfois à attiser sa douleur, plutôt qu'à y chercher remède. Aussi en était-il pour Séverine. Elle passait de longues heures dans la chambre de la morte, où tout la lui rappelait : ses meubles, les bibelots dont elle avait si souvent raconté l'histoire à sa petite-fille, tel cet oiseau de porcelaine tenant dans son bec une guirlande de fleurs, et offert par son mari un demi-siècle plus tôt, alors qu'il n'était encore que son fiancé.

Ouvrant les placards, Séverine touchait les vêtements que l'aïeule aimait porter et qui demeuraient imprégnés de leur discrète et tenace odeur de violette ; la jeune fille se prit à sangloter dans les plis de la robe de velours noir, qui avait si joliment paré sa grand-mère le jour de la réception donnée pour le retour d'Olivier.

Dans le sac à main, qui ne quittait guère Mme Bréval, les derniers temps de sa vie, Séverine trouva un portefeuille contenant un choix de photographies. L'une représentait un homme aux moustaches conquérantes, bien pris dans son uniforme d'officier de cavalerie — ce qu'on appelait, au début du siècle, « un beau cavalier ».

Elle le reconnut aussitôt : Louis Bréval, son grand-père, le mari tendrement aimé, mort trop tôt, et jamais oublié. Sur d'autres images figuraient les parents de Séverine, tués dans un accident d'avion et la nièce de Mme Bréval, la mère sans mari d'Olivier, jolie et visiblement sans défenses contre les embûches de la vie.

Il y avait encore une photo de Séverine et l'attendrissant portrait d'Olivier âgé de quelques mois, posé tout nu sur un coussin, et sur lequel on distinguait nettement la tache de café de son épaule. C'était la même photographie que Mme Bréval et Séverine, en compagnie d'Olivier, avaient regardé dans le petit salon, un jour encore assez proche. A ce souvenir, des larmes embuèrent les yeux de la jeune fille.

Puis elle fit une remarque imprévue : dans le bas de la photographie du bébé Olivier, elle découvrit, dessiné au crayon rouge, un point d'interrogation ...

Intriguée, Séverine s'attarda à contempler l'image du bébé joufflu cherchant ce que l'aïeule avait voulu exprimer par ce signe. Et soudain, une sorte de fulguration, un rapprochement se fit dans son esprit. Se pouvait-il que cela eût un rapport avec les dernières paroles de la vieille dame, cette demi-confidence interrompue par l'épuisement de la malade ?

L'énigme tracassait Séverine, elle se creusa la tête un long moment, puis décida de n'y plus penser. Elle rangea les photos dans le portefeuille qu'elle enferma au plus profond d'un tiroir et quitta la pièce.

Mais le point d'interrogation tracé en rouge sur l'image d'un bébé demeurait comme une question sans réponse.

* *
*

L'OISEAU DE PASSAGE

Curieusement, François ne s'était pas manifesté depuis l'enterrement et Séverine s'étonnait qu'il ne lui apportât pas, pour l'aider à surmonter son chagrin, le réconfort de sa tendresse. Et puis, un jour, des lettres arrivèrent simultanément ; l'une adressée à Olivier, l'autre à la jeune fille. Elles contenaient toutes deux une convocation pour l'étude Lomond, où, bien entendu, Mme Bréval avait ses affaires, et fixait à chacun des jeunes gens un rendez-vous pour le surlendemain.

Ils s'y rendirent à l'heure dite, dans la voiture d'Olivier. L'étude de Me Lomond se trouvait située dans un bel immeuble de pierre de taille datant de l'entre-deux guerres ; il appartenait aux Lomond et semblait s'enorgueillir du panonceau doré qui ornait sa façade imposante.

Les bureaux occupaient le rez-de-chaussée et une cordelière défendait l'accès de l'escalier orné d'un tapis qui conduisait aux étages où se trouvaient les appartements privés. Les jeunes gens n'eurent pas longtemps à attendre ; ils venaient à peine de s'installer sur une banquette, dans l'entrée, qu'un réceptionniste aussi solennel qu'un maître de cérémonie, vint les rejoindre.

— Me Lomond va vous recevoir, dit-il, comme s'il se fût agi d'une faveur.

Il les introduisit dans une vaste salle assez sombre. M. Lomond s'y tenait assis derrière un grand bureau d'acajou, dans un fauteuil Voltaire dont il fit l'effort de se lever pour tendre la main aux arrivants. Plus important que jamais, il commença :

— Heureux de vous accueillir. Mon fils s'excuse de ne pouvoir venir vous dire bonjour, il a dû s'absenter pour surveiller le déroulement d'une vente aux enchères.

Puis, de la main, il désigna deux sièges devant le bureau.

— Asseyez-vous.

Séverine et Olivier prirent place dans les fauteuils qu'on leur indiquait — lesquels étaient bas, sensiblement moins élevés que celui du notaire qui, ainsi, semblait dominer ceux auxquels il parlait. Uniquement garnie de meubles fonctionnels, d'armoires à tiroirs et de classeurs, la pièce était triste, comme le sont les endroits où se discutent des questions d'argent, où s'élaborent des tractations parfois poignantes, le plus souvent sordides. Nulle gravure n'égayait les murs et de lourds rideaux de peluche marron encadraient les fenêtres, comme pour empêcher les secrets de s'échapper, la lumière d'entrer.

Après s'être assis dans son fauteuil directorial, le notaire prit la parole ; il commença par prononcer les banalités d'usage, affirmer ses regrets du décès de Mme Bréval et s'informer de la santé de Séverine, puis il enchaîna :

— Vous devez certainement vous douter de la raison pour laquelle je vous ai priés de venir.

— Il est facile d'en présumer, dit Olivier.

— Il doit s'agir de la succession de notre aïeule, ajouta Séverine.

— En effet.

Le notaire hocha la tête.

— Cette chère amie — Dieu ait son âme — ne se montrait pas toujours aussi raisonnable que je l'aurais souhaité. Je m'efforçais de la guider de mon mieux, mais elle ne tenait pas toujours compte de mes conseils. Enfin !

Il prit dans un tiroir de son bureau une enveloppe cachetée de cire rouge, l'éleva devant lui pour faire constater à ses visiteurs que les cachets étaient intacts, puis à l'aide d'un coupe-papier ouvrit l'enveloppe et en sortit une feuille de papier couverte d'une petite écriture serrée. Après s'être éclairci la voix, il lut :

« Ceci est mon testament. Je soussignée, Henriette « Bréval, née Dormeuil, déclare léguer à ma petite-fille « Séverine Lancel, et à mon petit neveu Olivier Dormeuil, « ma propriété de La Roselière, qui devra rester en indi- « vis entre eux. Vivant de la retraite de mon mari, je n'ai « rien d'autre à leur laisser, sinon quelques valeurs « dépréciées qu'ils devront se partager. Je leur fais « confiance pour veiller sur ma vieille Aurélie qui m'a « servi fidèlement pendant un demi-siècle et lui adoucir « ses vieux jours.

« Fait en toute liberté de corps et d'esprit. »

La date suivait, puis la signature. Avec des gestes lents, le notaire replia le feuillet.

— J'étais au courant de ce testament, dit-il. Et je dois avouer que je l'ai désapprouvé. Mais je n'ai pu faire entendre raison à Mme Bréval.

Avec une pointe d'aigreur dans la voix, il spécifia :

— Elle pouvait à l'occasion se montrer fort entêtée.

— Elle avait le droit de disposer de ses biens comme elle l'entendait ! observa Olivier.

Le notaire pinça les lèvres.

— Moi, j'estime que ce testament lèse gravement les intérêts de Mlle Lancel qui, descendante directe de Mme Bréval, aurait pu s'attendre à être seule héritière, alors qu'il lui est imposé la servitude d'avoir à demander à son cousin l'autorisation pour disposer de sa part. Le mieux serait que vous vous mettiez d'accord pour vendre la propriété.

— Vendre La Roselière ? répéta Séverine.

— Oui. Vous pourriez en tirer un bon prix à partager

entre votre cousin et vous, et cela trancherait toutes les difficultés.

Il fit une pause, et l'air important, reprit :

— Il y a une opération très fructueuse à réaliser. Le parc de La Roselière, assez étendu, ferait un lotissement intéressant pour y construire des immeubles de rapport, ou encore des pavillons individuels, comme cela se fait un peu partout. Je connais deux ou trois promoteurs qui sont disposés à vous faire des offres très avantageuses. Je puis les contacter de votre part.

— Lotir le parc ! dit Séverine.

Elle fixait le notaire d'un air incrédule.

Que deviendraient, alors, les grands arbres plusieurs fois centenaires, les tilleuls, les ormes, les sycomores au feuillage pâle et les hêtres roux qui au printemps abritaient tant de nids d'oiseaux, et où roucoulaient si tendrement les colombes et les ramiers ? Il faudrait détruire les bosquets de noisetiers qui cachaient Pomone et Cérès, et les lilas au parfum grisant qu'aimait cueillir Mme Bréval, et la splendeur rousse des frondaisons à l'automne ...

Tout son être se hérissait à cette pensée.

Loin de se douter de ce qui se passait dans l'esprit de la jeune fille, Me Lomond continuait, l'air sûr de lui :

— Ce serait une excellente affaire, et je ne saurais trop vous la conseiller ...

Il voyait évidemment dans la vente de la propriété et sa transformation en lotissements une opération qui ferait de Séverine un parti acceptable pour son fils et lui permettrait lui-même de tirer profit de cette transaction.

Avec une onctuosité de prélat, il ajouta :

— Il faudrait naturellement l'approbation de M. Dormeuil. Je ne doute pas qu'il la donne, comprenant où est son intérêt.

— Moi, je refuse ! cria Séverine. Je ne veux pas qu'on vende La Roselière ! Ma grand-mère ne l'aurait pas permis ! Elle aimait trop le parc, les grands arbres, sa maison pleine de souvenirs.

Des larmes montaient à ses yeux ; elle les refoula avec peine. Mais les considérations sentimentales n'influençaient pas le notaire. Il tapota le bureau avec énervement.

— Les vieilles personnes sont toutes les mêmes, elles détestent un changement au décor de leur vie. Je ne lui aurais pas fait part de ce projet, sachant quelle aurait été sa réaction. Maintenant qu'elle n'est plus là pour s'y opposer ...

Il s'efforçait de masquer l'irritation que lui causait l'attitude de Séverine, n'y réussissant qu'avec peine.

— Réfléchissez, dit-il. Ne prenez pas une décision trop hâtive.

— C'est tout réfléchi, répondit Séverine. Je n'irai jamais à l'encontre des désirs de ma grand-mère. Agir autrement me semblerait une trahison envers elle.

Le notaire eut un soupir exaspéré. Puis il se tourna vers Olivier et avec un calme apparent, il affirma :

— Vous avez aussi votre mot à dire, monsieur Dormeuil. Et vous êtes un homme pratique, qui avez le sens des réalités. Je vous crois trop au courant des affaires pour négliger cette occasion d'augmenter votre fortune d'une façon appréciable. Alors je compte sur vous pour raisonner votre parente et l'amener à une plus saine conception des choses...

Mais Olivier secouait lentement la tête.

— Je partage pleinement l'opinion de ma cousine et ne veux à aucun prix vendre La Roselière.

— C'est proprement insensé ! fulmina le notaire.

Déjà coloré, son visage tournait au rouge brique. Il se maîtrisa à grand-peine pour réussir à dire d'un ton presque neutre :

— Très bien. Vous êtes libres, et je n'ai pas le pouvoir d'influencer votre volonté de garder La Roselière. Toutefois …

Il fit mine de manipuler un coupe-papier, puis reprit :

— Toutefois, je crois de mon devoir d'attirer votre attention sur les conséquences qu'implique cette décision. Car cela va poser des problèmes.

— Des problèmes ? Quels problèmes, puisque mon cousin et moi sommes d'accord ? objecta Séverine. Je n'en vois aucun !

Le notaire toussota.

— Je vais maintenant aborder un sujet difficile.

— Nous vous écoutons, dit Olivier.

Au mépris de toute convention, il étendit ses longues jambes devant lui et le notaire lui jeta un regard d'antipathie.

— Eh bien … n'est-ce pas, en tant que propriétaire indivis de La Roselière, M. Dormeuil peut se croire autorisé à y séjourner.

— Mais, dit Séverine, cela me semble tout à fait normal, et je suis certaine que c'est bien ainsi que ma grand-mère l'a entendu !

Le père de François prit un air choqué. D'un ton qui se voulait paternel, il expliqua :

— Voyons, mon enfant — je puis vous appeler ainsi, en raison de mon âge, et aussi des projets ébauchés par mon fils — maintenant que Mme Bréval n'est plus là pour vous chaperonner, cette cohabitation serait ... parfaitement inconvenante !

— Inconvenante ?

Séverine écarquillait ses yeux plus profonds sous leurs paupières bistrées par les larmes.

— Oui. Et même immorale.

La jeune fille haussa les épaules.

— C'est ridicule, dit-elle. Olivier est mon cousin.

Le notaire fit une moue.

— A un degré très éloigné. Si M. Dormeuil était ... plus âgé, la conjoncture eût été différente. Mais dans l'état actuel des choses, une telle promiscuité est ... contraire au respect qu'une jeune fille doit avoir d'elle-même.

Il prit un temps, avant d'ajouter :

— Mon fils est d'ailleurs de cet avis ...

Il croyait avoir trouvé l'argument massue et poursuivit, plus pompeux que jamais, s'adressant à Séverine :

— Quant à moi, j'estime que je n'aurais pas rempli les devoirs de ma position si je ne vous avais pas mise en garde contre un comportement qui peut avoir de graves conséquences pour votre avenir.

Il parlait avec l'assurance de ceux qui croient détenir la vérité, dont le jugement ne souffre pas de discussion, et les mots qui tombaient de ses lèvres avaient la solennité d'un verdict. Dans les yeux d'Olivier une lueur sarcastique s'allumait tandis que le notaire insistait :

— Alors, ma chère enfant, je vous conjure d'être raisonnable ! De voir les choses d'une façon lucide...

Séverine eut un soupir de lassitude.

— Mais, dit-elle, c'est tout vu, maître. Du moins en ce qui me concerne. Ces questions me semblent fastidieuses ; je m'en tiens aux volontés de ma grand-mère.

Me Lomond donnait des signes d'énervement ; il s'était attendu à plus de docilité de la part de Séverine. Cherchant une contenance, il déplaça des papiers sur son bureau, puis reprit :

— Mme Bréval était très diminuée mentalement quand elle a rédigé son testament, et n'a pas prévu les suites qu'entraîneraient ses dispositions. Elle aurait dû comprendre qu'en raison de sa manière de vivre, de ses fréquentations, et de ses … antécédents, M. Dormeuil ne présentait pas les garanties de moralité indispensables au compagnon d'une jeune fille.

Cette fois, Olivier prit la parole :

— Mes antécédents ? dit-il sans rien perdre de son attitude indolente. Vous voulez parler de l'accusation injustifiée dont j'ai été l'objet il y a six ans ?

— Evidemment, dit le notaire.

Le jeune homme acquiesça de la tête.

— En somme, reprit-il. parce que j'ai été accusé sans preuves, vous me considérez comme un personnage indésirable, indigne d'être fréquenté par des gens honnêtes. C'est bien ça ?

Le notaire ajusta ses lunettes sur son nez et répondit :

— Je pensais que vous comprendriez à demi-mot, sans que j'aie à vous donner d'explications, mais puisqu'il me faut vous mettre les points sur les i, je vous dirai que c'est exactement cela. Vous n'avez jamais été innocenté du meurtre du mari d'Arlène Rouvier, votre maîtresse d'alors, et probablement d'aujourd'hui. Votre présence sous le même toit qu'une jeune fille — fût-elle votre cousine — est de nature à porter le plus grave préjudice à sa réputation.

— Je vois, dit Olivier.

Il parlait d'un ton grave, mais la lueur ironique brillait plus que jamais dans ses yeux.

— C'est vraiment très bien de vous préoccuper ainsi de l'honneur de ma cousine. Cela ne dépasse-t-il pas un peu vos attributions de notaire ?

Me Lomond fronça ses sourcils :

— Monsieur, dit-il avec hauteur, sachez que j'ai une très haute idée de mes fonctions. En la circonstance, j'agis également en père soucieux de l'avenir et du bonheur de son fils. Voyez-vous, nous sommes d'une famille que n'a déshonoré aucune tache.

— Vraiment ? dit Olivier.

— Oui. monsieur. Et nous tenons avant tout à notre respectabilité. Ce sont peut-être des notions qui vous échappent, mais qui pour nous ont une importance primordiale. Il n'y a jamais eu de scandale dans notre famille, et j'en suis fier. J'estime donc être en droit d'exiger la même impeccabilité de ceux qui briguent d'en faire partie. Je n'y admettrai pas une personne douteuse.

— Vraiment ? répéta Olivier.

Puis, sous le regard offensé du notaire, il se mit à rire.

— Maître, dit-il, excusez-moi, je n'ai pas pu me retenir : vous êtes trop drôle.

Il se leva et parut très grand dans son manteau de cuir noir.

— La séance a été amusante et instructive, mais j'ai assez ri pour aujourd'hui. Vous nous enverrez les pièces à signer.

Il tendit à Séverine sa main d'où s'effaçaient peu à peu les cicatrices.

— Viens, Séverine. Nous rentrons à La Roselière. Maître, je vous salue bien.

Ceci dit, Olivier fit au notaire sidéré un salut d'une suprême élégance et entraîna Séverine vers la porte.

*
* *

En silence, ils regagnèrent la voiture d'Olivier rangée un peu plus loin. Ils ne parlèrent pas davantage sur le chemin du retour, ni l'un ni l'autre n'en éprouvaient le besoin. Fatiguée et déprimée par cet entretien, Séverine se laissait engourdir par le bercement de la voiture, tout en ressassant ses pensées.

Elle comprenait bien à présent les raisons de l'absence de François : il avait voulu laisser à son père le soin de régler l'affaire, et d'évincer Olivier. Les paroles de Me Lomond, son insistance à vouloir lui faire vendre La Roselière, ses insinuations malveillantes afin de la séparer de son cousin l'avaient irritée et blessée, et elle s'était réjouie de voir le notaire remis à sa place. Mais elle se demandait à quoi rimaient l'accès de gaieté d'Olivier et ses paroles ironiques.

De temps en temps elle regardait le jeune homme assis près d'elle. Elle ne voyait de lui qu'un profil impassible sous les cheveux prématurément gris, une joue maigre où demeurait le pli sarcastique — Olivier restait comme toujours enfermé dans son univers secret. Mais elle se sentait trop lasse pour essayer d'en percer le mystère.

La journée avait été grise, avec un ciel de plomb. Quand les jeunes gens arrivèrent à La Roselière, l'après-midi finissait ; un pâle rayon de soleil, le premier et le dernier, tombait sur l'ardoise des toits de la maison, la nimbant d'une furtive beauté.

L'OISEAU DE PASSAGE

Sous les fenêtres, des oiseaux — moineaux, rouges-gorges, pinsons, chardonnerets — picoraient les graines déposées pour eux, ainsi que dans des bacs accrochés aux arbres ; car à La Roselière, on nourrissait les oiseaux l'hiver. Aurélie en respectait la coutume.

Avec le crépuscule, une mélancolique poésie parait le parc. Au milieu des arbres dépouillés, les grands cèdres gardaient leur feuillage sombre. Mais bientôt, dans quelques semaines, on sentirait l'approche du printemps. Les branches craqueraient sous l'afflux de la sève ; des bourgeons se formeraient pour éclater en feuilles vertes ou en pousses violacées d'où naîtraient les grappes odorantes.

Mme Bréval ne serait plus là pour cueillir ses premiers lilas. Souvent, Séverine croirait la voir, agile et frêle, circuler dans les bosquets, un sécateur à la main, coupant les brindilles mortes et les rejets qui épuisent les arbres.

Séverine ne put s'empêcher de secouer la tête. Non ! Tant que ce serait en son pouvoir, jamais elle ne permettrait qu'on vendît La Roselière pour la morceler. Si l'ombre légère de la tendre aïeule revenait dans les endroits qu'elle avait tant aimés, elle retrouverait un décor inchangé.

CHAPITRE XIV

La nouvelle qui donnait une réponse à toutes les questions que Séverine se posait fut connue d'elle deux jours plus tard.

Elle avait recommencé à travailler, par dignité, pour ne pas vivre des subsides d'Olivier qui assumait déjà les frais d'entretien de la propriété et le salaire des domestiques, charges trop lourdes pour qu'elle ait pu les supporter.

D'ailleurs, l'obligation du travail l'arrachait un peu à la tristesse qui trop souvent la submergeait. Comprenant les sentiments qui la faisaient agir, Olivier n'avait pas tenté de s'y opposer.

— Fais à ta guise, mon ange !

Au volant de sa petite voiture, elle regagna donc le bureau de l'agence où chaque jour elle recevait les gens désireux de trouver une location ou d'acheter une maison, répondait aux lettres, et rédigeait les annonces.

Mais les affaires languissaient. Le courrier, ce matin-là, étant peu nombreux, la jeune fille s'octroya la permission de jeter un coup d'œil sur le journal que venait d'apporter le facteur. Un titre en gros caractères lui sauta aux yeux.

« L'affaire Rouvier rebondit »

L'article continuait :

« Nos lecteurs n'ont certainement pas oublié un crime
« commis dans notre ville il y a maintenant un peu plus
« de six ans, et qui eut à l'époque un grand retentisse-
« ment. Il s'agissait du meurtre d'un représentant de
« commerce, nommé Emile Rouvier, époux d'une fem-
« me fort belle, trouvé mort par strangulation à deux
« pas de son domicile. Un jeune play-boy de vingt-deux ans
« Olivier Dormeuil, garçon assez turbulent, dont les fras-
« ques défrayaient souvent la chronique, et qui entrete-
« nait une liaison avec Arlène Rouvier, l'épouse de la vic-
« time, fut un moment soupçonné du crime puis, après
« quelques jours de garde à vue, relâché.

« Or, il n'était pas le seul amoureux d'Arlène, des ren-
« seignements récemment parvenus à la police ont per-
« mis d'apprendre qu'elle fréquentait également un
« nommé Arsène Laroche, célibataire apparenté à une
« des familles les plus honorablement connues de notre
« région, et qui la rejoignait en l'absence de son mari. Ce
« serait en luttant avec ce dernier, revenu alors qu'on ne
« l'attendait pas, et avec lequel il se trouva inopinément
« face à face, qu'il l'aurait étranglé. Il nie jusqu'à pré-
« sent, mais de lourdes charges l'accablent. »

Séverine ne put retenir une exclamation.

— Par exemple ! L'oncle Arsène, le parent de François ! Si choyé par la famille Lomond à cause de sa fortune.

Les phrases imprimées dansaient devant ses yeux. Elle
reposa le journal, le reprit, et lut, un peu plus loin :

« Dernière heure.

« Poussé dans ses ultimes retranchements par les preu-
« ves accumulées contre lui, Arsène Laroche s'effondre

« et avoue son forfait. Les choses se seraient passées
« exactement comme nous le laissions entendre plus
« haut. »

Des photographies illustraient l'article ; l'une d'elle
était celle d'Arlène, souriante et sophistiquée, datant de
l'époque du drame, celle qui, six ans plus tôt, agrémen-
tait déjà les pages du journal. A côté d'elle, on voyait
un cliché représentant Arsène Laroche, qui, saisi par le
« flash » papillonnait des yeux comme un hibou en plein
jour, et de ses mains entravées essayait de dissimuler son
visage.

Séverine lut encore :

« Nous croyons savoir que c'est une enquête menée
« personnellement par M. Dormeuil, qui tenait à prouver
« son innocence, qui a permis de relancer l'affaire et
« de faire éclater la vérité. La ténacité d'Olivier Dormeuil a
« été récompensée ; il est à présent lavé de tout soupçon.
« Nous en sommes heureux pour lui. »

Etait-ce le même journaliste qui, six ans plus tôt,
déversait sur Olivier tant de propos fielleux ? En ce cas, il
faisait amende honorable avec élégance.

Cependant, à demi incrédule encore, Séverine relisait
le texte imprimé, regardait la photographie sur laquelle
Arsène Laroche dans un vain effort pour cacher ses traits
étendait ses mains devant lui.

« L'oncle Arsène ! se répétait la jeune fille. Cet
homme si insignifiant, si effacé, auquel on ne pouvait
reprocher que d'aimer un peu trop le champagne et les
liqueurs fortes ? Est-ce possible ? »

Pourtant, il ne pouvait y avoir aucun doute : les aveux
d'Arsène Laroche confirmaient les accusations portées
contre lui. Et certains détails revenaient à la jeune fille :

elle revoyait ses mains trop fortes, énormes, disproportionnées avec la stature de l'individu ...

Elle s'expliquait à présent les paroles d'Olivier, qui évidemment connaissait déjà la culpabilité d'Arsène Laroche, au cours de leur visite chez Mᵉ Lomond, son ironie lorsque le notaire discourait sur l'honneur sans tache de sa famille, son souci de respectabilité, et dissimulait à peine son mépris envers l'innocent injustement accusé d'un crime dont son propre beau-frère était coupable.

Inconsciemment, Séverine relevait la tête en repliant le journal. Olivier prenait une revanche qu'il n'eût pu rêver plus parfaite.

* * *

Au rythme de la distribution du journal, la nouvelle faisait le tour du pays, et défrayait les conversations. Un peu plus tard, quand le patron de Séverine vint la rejoindre dans le bureau, il attaqua d'emblée :

— Quelle surprise que cette arrestation d'Arsène Laroche ! On peut dire que c'est inattendu.

Comme beaucoup de gens qui, après coup, veulent avoir été clairvoyants, il ajouta :

— Remarquez que, personnellement, il ne m'a jamais été sympathique : je lui trouvais quelque chose de fourbe. Et c'était un alcoolique invétéré. Mais quel coup dur pour les Lomond, si fiers de leur bonne renommée ! Comment prennent-ils ce scandale, qui jette le discrédit sur leur famille ?

Il devait avoir eu à se plaindre de la morgue de l'orgueilleux notaire, sa voix décelait une satisfaction à l'imaginer tombant de son piédestal. Séverine ne douta pas que ce sentiment fût partagé par de nombreuses personnes. Sur le même ton, l'homme reprit :

— Les gens qui regardent les autres de haut ont besoin qu'on les remette à leur place de simples mortels. Une dure leçon pour les Lomond !

Il réfléchit, ajouta :

— Je pense qu'ils s'efforceront de faire passer Arsène pour fou ! Cela promet de belles bagarres, au tribunal ...

Il s'en délectait à l'avance. A court d'éloquence, il s'interrompit quelques instants, puis demanda :

— Au fait, Olivier Dormeuil, ce jeune homme injustement accusé du meurtre d'Emile Rouvier, est votre cousin, n'est-ce pas ?

— C'est exact, dit Séverine.

— Quel soulagement pour lui de voir son innocence reconnue ! Il doit être si pénible d'être accusé d'un crime qu'on n'a pas commis.

— En effet, Olivier en a beaucoup souffert.

— Transmettez-lui ma sympathie.

— Je n'y manquerai pas, assura la jeune fille.

Elle pensait que cette sympathie qui avait tant manqué à Olivier au moment où on l'accusait, arrivait bien tardivement ...

* *
*

Lorsque, sa journée de travail terminée, Séverine quitta son bureau pour regagner La Roselière, elle jeta un coup d'œil sur l'immeuble proche qui abritait l'étude Lomond et elle eut l'impression que, tel un décor dégradé, la façade orgueilleuse reflétait l'humiliation que ne pouvaient manquer d'éprouver ses habitants. Sous le ciel morne, les panonceaux dorés semblaient moins brillants.

Olivier, qui s'absentait encore souvent, assista ce soir-là au dîner. Au cours du repas, il fut question de l'événement, mais avec brièveté, à cause de la présence sournoise d'Emma, qui servait. Malgré toute son affection pour Olivier, à l'annonce de la nouvelle, Aurélie était à peine sortie de l'apathie dans laquelle elle demeurait plongée depuis la mort de Mme Bréval.

— Te voilà donc innocenté ! dit-elle. C'est très bien, mon garçon. Madame serait contente.

Et elle se mit à pleurer. Elle baissait beaucoup ; tout laissait prévoir qu'elle rejoindrait sous peu sa chère maîtresse.

Le soir, après le dîner, les deux jeunes gens se retrouvèrent comme tant d'autres soirs réunis dans le petit salon. Il y brûlait le feu de bois vers lequel l'aïeule aimait tendre frileusement ses mains délicates, veinées de bleu.

— Jamais plus, jamais plus … soupirait Séverine, le cœur lourd.

Elle se tourna vers Olivier. Celui-ci, les jambes étendues, fumait une cigarette en regardant les flammes. Depuis leur entrevue avec le notaire, une gêne s'était installée entre les jeunes gens, comme si les paroles de Me Lomond avaient insinué entre eux un certain trouble. Olivier n'appelait plus Séverine « mon ange, mon cœur » de son ton à la fois moqueur et tendre, et cela infligeait à la jeune fille une peine confuse. Pour rompre un silence, qui devenait pesant, elle lança :

— Ainsi, c'est Arsène Laroche qui …

— Oui, répondit Olivier.

Il n'exultait pas, comme on aurait pu s'y attendre, et demeurait parfaitement calme, sans rien de triomphant.

Il expliqua :

— Beaucoup d'indices l'accusaient au départ, mais à l'époque, les policiers obnubilés par mes extravagances, ma vie dissipée étalée au grand jour, étaient tellement persuadés de tenir en moi le coupable qu'ils n'en cherchaient pas d'autre. Sinon, ils se seraient davantage intéressés aux débris de lunettes trouvés sur le lieu du crime. Et aussi au fait que je ne jouissais pas seul des bonnes grâces d'Arlène Rouvier et n'ai jamais éprouvé pour cette femme vénale la passion dévastatrice qu'on dépeignit alors...

En l'entendant parler, Séverine éprouva une courte joie. Mais disait-il la vérité ? Un homme admet difficilement avoir été dupe. Olivier reprenait :

— Ce furent des recherches lentes, minutieuses. Il serait fastidieux de les énumérer. Arlène, sans même s'en rendre compte, m'a fourni de précieux renseignements.

Depuis son retour, n'avait-il réellement vu Arlène que pour lui soutirer des informations ? Il continuait :

— Les lunettes brisées ont été un fil conducteur. C'est de là qu'est parti mon détective, un homme fort capable, malgré l'apparence minable qu'il accentue à plaisir. Il a découvert qu'elles étaient pareilles à celles employées par Arsène Laroche qui, à l'époque, fréquentait Arlène discrètement, mais avec assiduité. Celui-ci, d'autre part, ne se trouvait pas au moment du crime, dans la maison de repos du Midi comme il le prétendait.

« Après avoir procédé à de multiples recoupements, Burdin, mon détective, se mit en quête de témoins. Ce fut difficile à trouver, après six ans ! Beaucoup se récusaient, en raison de la personnalité du suspect. Les coups de revolver dont je fus gratifié me prouvèrent néanmoins que nous étions sur la bonne voie, ma conviction en fut

197

renforcée. Mais il fallait des preuves que nous n'arrivions pas à obtenir. Il nous fut toutefois possible de réunir un faisceau de présomptions suffisant pour faire rouvrir l'enquête qui aboutit à l'arrestation d'Arsène Laroche, et à ses aveux.

Il y eut un court silence, puis Séverine observa d'un ton de reproche :

— Tu aurais dû m'avertir, plutôt que de me laisser ainsi dans l'ignorance.

— Tu ne m'aurais pas cru ! rétorqua Olivier. Tout ce qui s'apparentait aux Lomond te semblait si intouchable ...

En effet, elle devait le reconnaître, la culpabilité d'Arsène Laroche lui eût paru hautement invraisemblable.

— Tu m'aurais questionné, demandé des détails, des explications, reprit Olivier. Et je ne voulais pas, en parlant trop, risquer de compromettre le résultat de mon enquête. Voilà, Séverine, je ne me laisse jamais détourner du but que je me suis assigné.

Il scandait ses paroles, et Séverine retrouvait cette dureté de roc qu'il montrait parfois.

— Avoue que cela te fait plaisir que le coupable appartienne à la famille Lomond ? observa la jeune fille.

Les yeux d'Olivier jetèrent un bref éclair.

— Je mentirais en disant que cela me déplaît ! Je pense que tu comprends maintenant pourquoi je n'ai pu me retenir de rire en entendant le notaire pérorer sur la respectabilité de sa famille et de la nécessité d'être impeccable pour avoir l'honneur d'y entrer !

Il eut un sourire de dérision.

— Ce pitre ! C'était à vous dégoûter à jamais de l'honorabilité !

Agacée de voir ainsi ridiculiser le père de son fiancé, Séverine observa amèrement :

— C'est égal, tu cachais bien ton jeu.

Il la regarda.

— Ce n'était pas un jeu, Séverine, mais un devoir.

Elle ne comprit pas.

— Un devoir ? répéta-t-elle.

— Oui. Maintenant, j'ai tenu ma promesse, rempli ma mission. L'injustice est réparée, l'opprobre effacée. Le nom de Dormeuil lavé de toute tache. Et je peux avoir l'esprit en paix …

Avec cette souplesse féline qui accompagnait chacun de ses gestes, Olivier se baissa vers la cheminée pour rapprocher deux tisons. Quand il se releva, son visage si facilement sarcastique avait une expression de douceur et de gravité.

— Mais, dit-il, je regretterai toute ma vie que cela arrive trop tard ! Que grand-mère soit partie avant d'apprendre que j'avais atteint mon but et prouvé mon innocence.

— Elle en aurait été si heureuse ! dit Séverine reprenant la phrase d'Aurélie.

Un sanglot brisa sa voix.

— Peut-être nous entend-t-elle ? murmura Olivier. Peut-être en ce moment est-elle près de nous ?

— Peut-être.

Un instant il sembla qu'une discrète odeur de violettes flottait dans la pièce, et autour de la maison, le vent soufflait avec une délicatesse évoquant une harpe qu'on frôle. Devant le feu, le chat Vaurien soupira.

* * *

Quelques jours plus tard, quand, le soir venu, Séverine se disposait à monter dans sa voiture pour rentrer à La Roselière, la silhouette puissante du fils du notaire se dressa devant elle :

— Vous, François ! s'exclama-t-elle.

— Oui, moi ! dit-il d'un ton rogue. Pourquoi semblez-vous si surprise ? Aviez-vous oublié que j'existais ?

— Certainement pas. Je m'étonnais même de ne pas vous voir.

Il avait fait toute la journée un temps gris et triste ; maintenant les réverbères s'allumaient diffusant une lumière brumeuse, dans laquelle le décor prenait un aspect flou, indécis.

— Nous avons à parler sérieusement, Séverine, reprit le jeune homme. Désirez-vous que nous allions à notre bar habituel, ou puis-je m'asseoir près de vous ?

Il restait guindé même en s'exprimant. Habituée par Olivier à plus de décontraction, la jeune fille, aujourd'hui, le trouvait un peu ridicule.

— Venez à côté de moi.

— Oui, nous serons plus tranquille.

Il s'introduisit dans la petite automobile non sans difficulté et prit place près de la conductrice. Son corps robuste semblait à l'étroit dans l'espace réservé au passager.

Venu dans l'intention avouée d'avoir une conversation avec Séverine, il ne savait visiblement comment l'entamer. Une fois installé il resta quelques instants silencieux. Puis abruptement, il attaqua :

— Séverine, cela ne peut durer ! Etes-vous ma fiancée oui ou non ?

Sèchement, elle répondit :

— Je me le demande ! Après avoir été si longtemps sans visite ni nouvelle de vous, il m'est permis d'en douter.

François marqua un peu de gêne.

— J'ai été très occupé.

Après un silence il se ressaisit vite, et reprit :

— Ecoutez, Séverine, je vous l'ai déjà dit et souvent répété : il faut mettre fin à cette situation insupportable, faire cesser cet outrage permanent aux bonnes mœurs qu'est votre cohabitation avec Olivier Dormeuil. Un homme ... Un célibataire ... C'est un scandale dont parle toute la ville. Cet état de choses ne peut se prolonger.

Le fils du notaire discourait comme son père l'avait fait deux semaines plus tôt, avant que ne fût connue la culpabilité d'Arsène Laroche et admise l'innocence d'Olivier.

Ils étaient dans la voiture comme isolés du monde extérieur, qui semblait vague et inconsistant. Dans les rues, les véhicules, peu nombreux, allaient au ralenti ; estompées par la grisaille, de rares silhouettes de passants se hâtaient, sans doute, vers leurs domiciles. Mais sous le plafonnier de la voiture qui les éclairait d'une lumière crue, les visages des deux jeunes gens se détachaient nettement.

Avec douceur, Séverine remarqua :

— Votre père m'a déjà fait les mêmes réflexions et je pense que vous ne l'ignorez pas ... Mais depuis, d'autres circonstances sont survenues qui auraient dû vous inciter à vous montrer plus compréhensifs, Mᵉ Lomond et vous, tout d'abord à rectifier votre jugement sur mon cousin. Car je ...

Avec emportement, il l'interrompit :

— Vous voulez parler de cette histoire qui innocente

Olivier Dormeuil et fait de mon oncle le meurtrier d'Emile Rouvier !

— Evidemment.

— Cela ne tient pas debout.

— Mais Arsène Laroche a avoué !

François eut un mouvement d'épaule.

— Parce qu'on l'y a obligé. On connaît les méthodes de la police pour faire dire aux gens ce qu'ils veulent entendre et extorquer des aveux !

Soucieux des lois, pionnier de l'ordre, il en rejetait sans vergogne ce qui le gênait. Séverine considérait son compagnon avec une stupeur consternée. Sans s'en apercevoir, il poursuivit :

— Il y a peu de chance que cette accusation tienne. Et Dieu merci, nous sommes assez connus dans le pays pour que l'opinion publique hésite entre un membre de notre famille et un individu assez louche, revenu ici après on ne sait quelles douteuses aventures au loin !

Il reprit son souffle et continua :

— Même en admettant, je dis bien en admettant, qu'Olivier Dormeuil ne soit pas coupable du crime dont on l'a accusé, il n'en demeure pas moins un personnage équivoque, aux fréquentations de mauvais aloi. Pas du tout le genre de mentor qu'on souhaite à une jeune fille, mais au contraire un homme qui risque de ruiner sa réputation ! ...Alors, voilà Séverine, je suis venu vous dire : marions-nous, et le plus vite possible. C'est la meilleure solution, celle qui coupera court à tous les bruits malveillants concernant votre honneur, que je me fais un devoir de défendre.

Il plaisait à François de présenter son offre sous l'aspect d'un dévouement chevaleresque, sentimental et fidèle, mais il n'avait pas prononcé une seule parole de tendresse, pas le moindre mot d'amour. Rien en lui ne témoignait de l'impatience amoureuse d'un fiancé pressé de posséder la femme aimée. Sous la générosité apparente de la proposition, Séverine sut deviner le calcul, la manœuvre habile de Me Lomond, dont elle connaissait l'esprit tortueux depuis qu'il s'était efforcé de la persuader de lotir La Roselière.

Par ailleurs, l'union entre le neveu d'Arsène Laroche, meurtrier présumé d'Emile Rouvier, et la cousine de l'accusé innocenté, eût jeté dans les esprits un trouble, un doute, dont inévitablement l'oncle Arsène eût bénéficié.

Le notaire avait dû longuement réfléchir, peser le pour et le contre, avant d'autoriser son fils à parler de fixer la date qu'il faisait sans cesse repousser.

Séverine regardait songeusement le visage aux traits un peu lourds mais réguliers du garçon assis à ses côtés. Jusque-là, François avait symbolisé pour elle la droiture, l'honnêteté. Elle ne l'aimait pas d'un amour romanesque et ses baisers n'éveillaient en elle aucune passion. Mais elle s'était habituée à l'idée de l'épouser, de mener près de lui, l'homme juste et sans faille, une existence dénuée de tracas.

A présent, elle le voyait avec des yeux dessillés, dans sa vérité profonde, c'est-à-dire mesquin, sans grandeur, attaché non pas à sa dignité intérieure, mais à son apparence. Il serait toujours ainsi, un bourgeois médiocre, nourri d'intolérance et de prétention ; ce qu'il appelait honneur n'était que préjugés.

La plupart des femmes, à un moment, doivent choisir entre deux destinées. Séverine imagina sa vie auprès de François, entourée d'une considération due aux seules apparences, cachant au fond de son cœur un vide que ne saurait combler cet époux qu'elle n'estimerait pas.

Elle secoua la tête, préférant la solitude :

— Non ! lança-t-elle. Je ne vous épouserai pas, François. Ni maintenant ni plus tard.

Il parut stupéfait, et aussi incrédule.

— Mais ... Pourquoi ? Vous m'avez pourtant accepté ? Qu'est-ce qui vous a fait changer d'avis ?

— Vous n'êtes pas celui que je croyais.

— Comment cela ?

Elle soupira. Lui expliquer serait tellement difficile. Elle y renonça.

— Je croyais que vous m'aimiez ! plaida-t-il. Je croyais que ...

François s'était toujours imaginé faire beaucoup d'honneur à Séverine en la choisissant parmi tant d'autres. Sincère, elle avoua :

— J'ai été très près de le faire.

Il la dévisagea, un instant, puis, avec fureur, s'écria :

— Mais Olivier Dormeuil est venu tout gâcher entre nous ! Dieu, que je hais cet homme ! Je le voudrais enterré dans les rizières ou les savanes asiatiques ! Que n'y est-il resté ...

— François, vous êtes odieux !

— Et vous, une gamine inconsciente et stupide !

Il l'avait jugée douce, docile, facilement influençable, loin de soupçonner qu'elle pût faire montre d'une telle volonté.

— Et vous compter épouser cet ... individu ?

— Je n'en sais rien, reconnut-elle avec franchise. Olivier ne me l'a pas demandé.

Méchamment, François insinua :

— Sans doute est-il encore épris d'Arlène Rouvier ? De toute manière, il n'est pas homme à se fixer. Il repartira un jour pour des contrées lointaines, après avoir causé des ravages irréparables !

Il ouvrit la portière et ajouta :

— Car je vous prédis qu'un jour vous regretterez votre attitude d'aujourd'hui ! Mais il sera trop tard.

François attendit une protestation qui ne vint pas.

— Adieu ! lança-t-il en sortant.

— François ... murmura enfin Séverine. Je n'aurais pas voulu qu'entre nous tout s'achevât ainsi.

Il ne l'écouta pas. Sans se retourner il partit dans la nuit et ne vit même pas qu'elle pleurait.

CHAPITRE XV

Les jours passèrent.

Tel un miracle longtemps attendu, le printemps arriva, et d'un bosquet à l'autre, chardonnerets, pinsons et fauvettes s'en répétaient la nouvelle. Noirs et nus durant les mois d'hiver, haies et buissons devinrent blancs et roses. Les massifs s'ornèrent de tulipes et de jacinthes ; Pomone et Cérès rajeunies s'encadrèrent dans des charmilles revêtues de jeunes feuilles. Les ramiers roucoulaient dans les branches, le soleil brillait comme pour une fête et les lilas d'avril se couvraient des grappes mauves dont Mme Bréval aimait faire des bouquets pour en embaumer la maison.

— Grand-mère ne cueillera pas de lilas cette année, murmura Séverine.

Olivier lui posa la main sur l'épaule.

— Nous en porterons une gerbe sur sa tombe.

C'était un dimanche au milieu de l'après-midi. Suivis du chat attentif au gazouillis des oiseaux, les jeunes gens se promenaient dans le parc, en devisant. Après cet échange de paroles, il y eut un silence durant lequel on entendit mieux l'amoureux roucoulement des ramiers.

Songeuse, Séverine faisait un retour en arrière, et se

remémorait les événements des derniers mois, depuis le retour d'Olivier. Ainsi que le prévoyait le patron de la jeune fille, il n'y avait pas eu de jugement pour Arsène Laroche. Les Lomond s'étaient arrangés pour faire interner leur indésirable parent dans un asile psychiatrique. Mise en vedette par les circonstances, Arlène Rouvier venait de se remarier avantageusement et ne faisait plus parler d'elle. Quant à François Lomond, irrémédiablement vexé par le refus de Séverine de l'épouser, il ne se manifestait plus.

Rompant le silence, et comme s'il avait suivi le cours des pensées de la jeune fille, Olivier demanda :

— A propos, que devient le beau François ? Cela fait un moment que je ne l'ai pas rencontré.

— Je ne l'ai pas revu depuis que j'ai définitivement refusé de l'épouser, répondit la jeune fille.

Olivier eut un bref sourire.

— Ainsi tu as renoncé au privilège enviable d'être l'épouse considérée d'un séduisant futur notaire ?

— Oui.

— François Lomond a dû être bien surpris !

— En effet. Et il a très mal pris la chose.

Elle ne jugea pas utile de préciser qu'elle attribuait cette proposition d'un mariage précipité à une manœuvre subtile de Me Lomond et destinée à annuler la mauvaise impression causée dans l'opinion publique par l'arrestation de son beau-frère ; elle se refusait à accabler son ex-fiancé.

Olivier resta quelques instants sans rien dire ; il contemplait le visage délicat de la jeune fille, les paupières bordées de cils si longs qu'ils formaient une ombre sur les joues, les cheveux bruns où le soleil allumait des reflets. Il soupira ; puis avec lenteur déclara :

L'OISEAU DE PASSAGE

— Ecoute, Séverine... François Lomond m'agaçait par son esprit conventionnel, son souci de respectabilité. Cela m'a peut-être rendu injuste à son égard ! J'ai eu tort de le dénigrer. Il aurait sûrement fait un bon mari pour toi, Séverine, car tu me l'as dit souvent, tu souhaitais avant tout la sécurité, le confort moral. Alors... comme Aurélie, qui baisse chaque jour un peu plus, n'est pas une compagne pour toi guère plus qu'Emma, la simplette, tu risques de te sentir seule ici, quand je serai parti... Peut-être pourrais-tu revoir François ?

D'un ton léger, Séverine assura :

— Figure-toi que je me suis aperçue que tout compte fait, je n'aimais pas assez la tranquillité et la considération pour en faire le but de ma vie !

Après quoi, les derniers mots d'Olivier l'atteignant avec retard, elle murmura, blanche jusqu'aux lèvres :

— Tu veux donc repartir, Olivier ?

Elle avait toujours craint qu'il prononçât ces paroles, elle les appréhendait, mais le temps qui passait avait endormi leur menace. Et voici que le moment tant redouté était arrivé. Luttant de son mieux contre la détresse qui lui étreignait le cœur, elle ajouta :

— Tu en as assez du calme de La Roselière ! La vie ici te paraît sans attraits, parce que sans risques. Tu veux retourner vers l'aventure, le danger ?

A cause du sanglot qu'elle retenait, sa voix s'éraillait, devenait rauque. Son compagnon la regarda intensément.

— Je ne sais pas, Séverine. Je ne sais vraiment pas ! En vérité, cela dépendra de toi.

— De moi ?

— Oui.

Il jeta à terre la cigarette qu'il fumait, l'écrasa du pied et attaqua avec fermeté :

— Vois-tu, Séverine, j'ai à te faire un aveu qui va sans doute changer bien des choses entre nous, mais je ne peux pas te cacher plus longtemps la vérité.

Il prit une profonde inspiration et acheva :

— Je ne suis pas Olivier, Séverine.

Frappée de stupeur, elle répéta :

— Pas Olivier ?

— Non. Je suis Julian. C'est Olivier qui est mort.

* * *

Le ciel était toujours aussi bleu ; les ramiers insouciants continuaient à roucouler, les lilas à embaumer, et les merles à sautiller sur les pelouses sous le regard intéressé du chat.

— Julian ! souffla Séverine.

— Oui.

Les yeux agrandis, la jeune fille regardait l'homme long et mince, à la chevelure grise qui lui faisait face, et la certitude peu à peu pénétrait en elle. Les anomalies, les différences remarquées jusqu'alors sans qu'elle y accordât d'attention, prenaient maintenant leur entière signification : le visage plus buriné du jeune homme, les deux ou trois centimètres de supplément à sa taille, les yeux plus gris que bleus — toutes modifications qu'elle attribuait aux années écoulées, aux épreuves subies, s'expliquaient mieux. Et aussi ce mystère qui environnait le revenant, le sentiment, que Séverine éprouvait parfois, de se trouver devant un étranger. Elle s'étonnait à peine de cette vérité enfin dévoilée : elle la portait en elle depuis le début.

Julian continuait :

— Bien qu'en réalité je sois de deux ans plus âgé que ne l'était Olivier, et plus grand de deux centimètres, nous nous ressemblions au point qu'on nous confondait. Quand, il y a maintenant près de sept ans, nous nous sommes pour la première fois trouvés ensemble dans un établissement de Bangkok où l'on nous prit l'un pour l'autre, cela nous amusa beaucoup. Ce que j'ai dit un jour, au début de mon séjour ici, est exact : il y a des coups de foudre de l'amitié, comme des coups de foudre de l'amour. Une subite sympathie nous lia aussitôt ; Olivier était un être attachant, et nous sommes devenus très vite intimes. Nous portions le même patronyme, je m'appelle également Dormeuil, cela contribua encore à nous rapprocher. L'étude de nos origines nous apprit que nous étions des cousins très éloignés. Un caprice de l'hérédité motivait notre ressemblance.

Une hirondelle passa, zébrant le ciel d'un vol rapide, et poussa un cri aigu en allant se nicher sous le toit de La Roselière. Le jeune homme la regarda un instant, et poursuivit :

— J'ai hérité de mon père, Canadien d'origine française, descendant des Dormeuil émigrés au XVIIe siècle — et pur spécimen d'aventurier — qui passait sa vie à vagabonder d'un continent à l'autre, des magasins où l'on vendait et où l'on vend toujours des tissus précieux, des objets d'art, des antiquités très appréciés des touristes.

« Celui de Bangkok où je m'étais fixé me rapportait beaucoup. En même temps qu'une fortune appréciable, mon père m'avait légué le goût de l'aventure, du risque ; je me plaisais à parcourir la jungle, à la découverte des temples enfouis sous la végétation, et qui renferment encore des vases, statues, objets divers, idoles de pierre, disséminés dans les marais.

« Un jour, Olivier tint absolument à m'accompagner dans une de ces expéditions dont, parce que j'y étais habitué, je sous-estimais le danger. »

Il se tut quelques instants, les yeux fixés droit devant lui. Ce qu'il voyait ne rassemblait pas à un aimable jardin du Val de Loire, mais à des savanes aux eaux croupissantes, à l'odeur de fièvre et de mort, aux périls cachés. Il reprit bientôt :

— J'aurais dû refuser, et je regretterai toujours d'avoir cédé, car Olivier n'avait pas mon endurance. D'abord, il s'amusa beaucoup, il s'émerveillait de tout : des oiseaux brusquement envolés, des orchidées poussant au creux des arbres, sans se soucier des dangers. Imprudemment, nous nous sommes approchés trop près d'une frontière interdite, mais dans ces pays, les frontières ne sont jamais ni stables, ni délimitées, et il arrive souvent que des groupes les franchissent, dans un but ou dans l'autre, généralement des troupes ambulantes... Un jour, on nous fit prisonniers.

Insouciants, les merles couraient sur la pelouse. Séverine écoutait ; dans sa poitrine, son cœur continuait à battre lourdement. Julian racontait :

— Au début, je ne pris pas cela trop au tragique, pensant qu'on nous relâcherait assez vite. Comme je parlais la langue du pays, je parlementais avec le chef de la bande, offrant de payer une importante rançon pour qu'on nous libérât, Olivier et moi ; il ne voulut rien entendre. Je ne sais ce que ces brutes espéraient tirer de nous, à part la satisfaction d'humilier des Européens. C'est ainsi qu'on nous garda six ans, captifs, dans des conditions abominables que je ne décrirai pas... Olivier souffrit beaucoup plus que moi. D'un naturel plus robuste, plus résistant, habitué au climat, je supportai mieux que lui les dures conditions de notre captivité, les fièvres, le manque d'hygiène, la nourriture infecte alors qu'il en subissait les conséquences et s'affaiblissait. De toute mon amitié, je m'efforçais de l'aider. Nous étions devenus comme deux frères.

« Durant ces longues heures où nous étions enfermés il me parlait de lui. Je finis par tout savoir de son passé, connaître les moindres détails de sa vie turbulente, de ses incartades, de sa liaison avec Arlène Rouvier et de l'accusation de meurtre sur le mari de celle-ci, qui avait motivé son exil. Des journées, des nuits, je l'entendis évoquer la maison de son enfance, la douce aïeule qui essayait d'être sévère, et la petite cousine de seize ans, si ingénument amoureuse de lui, celle qu'il taquinait et appelait « mon ange », pour la faire rougir.

Comme à cette époque, une flamme embrasa le visage de la jeune fille. Après une courte interruption, Julian poursuivait :

— Je n'ai pas eu de foyer, sais-tu, ma mère étant morte à ma naissance, après s'être brouillée avec sa famille pour épouser mon père ; celui-ci me mit d'abord en nourrice, ensuite dans des collèges dont je m'évadais régulièrement. J'ai toujours mal supporté la discipline et cela n'a pas été sans causer quelques lacunes dans mon éducation. Alors, dès mon adolescence, mon père m'emmena avec lui vagabonder aux quatre coins de l'Asie où l'appelaient ses affaires.

Il fit une courte pause. Près de lui, le chat Vaurien esquissa un élan vers les merles qui s'envolèrent, le laissant désabusé. Julian disait :

— Je me trouvais parfaitement heureux. Mais voici

qu'en écoutant Olivier, moi l'errant, l'aventurier, je me pris à rêver d'une tendre aïeule doucement grondeuse, parfumée à la violette. D'une maison de famille. Et surtout d'une petite cousine aux grands yeux, qui m'aimerait.

Un instant, le silence s'installa. Séverine baissait la tête, son cou flexible ployé pour cacher son trouble. Le jeune homme poursuivit :

— J'ai soigné Olivier du mieux que j'ai pu, avec les maigres moyens dont je disposais, lui abandonnant ma part de nourriture. J'ai tout fait pour le garder, mon ami, mon frère... Je n'y ai pas réussi.

Des larmes brillaient dans ses yeux levés vers le ciel. Séverine se l'imagina dans la cage de bambou, durant les journées torrides et les nuits glaciales, tenant entre les siennes les mains brûlantes d'Olivier, essuyant la sueur qui coulait sur son front fiévreux et lui murmurant des paroles d'encouragement, tout comme elle l'avait vu faire pour sa grand-mère. Comme à ce moment-là, elle devina la tendresse latente que cachait la rude apparence de Julian.

— Quand il sentit sa fin approcher, Olivier me fit jurer solennellement que si je lui survivais, si je sortais vivant de cet enfer, j'irai voir sa grand-mère, sa cousine. Et aussi, de mettre tout en œuvre pour prouver son innocence dans le crime dont il avait été accusé, pour laver son nom de tout soupçon. Je jurai, et il sourit.

« Je sais que tu tiendras ta promesse, Julian, et je te remercie. Aime grand-mère et Séverine, comme je n'ai pas su les aimer. »

« Durant les derniers temps, notre ressemblance s'était accentuée, comme si les épreuves subies côte à côte avaient aboli les différences : seules ses yeux demeuraient plus bleus que les miens.

« Il souriait encore quand il mourut.

Julian se tut quelques instants puis reprit :

— Peu de temps après, je réussis à m'évader. Olivier et moi l'avions maintes fois tenté ensemble, toujours vainement ; seul ce fut plus facile. Je parvins, grâce à mon endurance, à échapper aux périls de la jungle, et à regagner les contrées civilisées. A Bongkok je mis rapidement de l'ordre dans mes différentes affaires, miraculeusement protégées par des serviteurs dévoués qui ne doutèrent jamais de mon retour. Je pris dès que possible l'avion pour la France, afin de faire connaissance de la famille d'Olivier, et remplir la mission qu'il m'avait confiée.

Il regarda à nouveau les hirondelles affairées sous les toits, et les merles qui, sous l'œil intéressé du chat, se poursuivaient à travers les pelouses puis continua :

— Au départ, malgré notre ressemblance, je ne pensais pas à me faire passer pour Olivier, cette idée ne m'était pas venue ; mais quand, ce soir de septembre, après un voyage harassant, je me suis présenté à La Roselière, et que chacun ici, toi, Séverine, grand-mère, et même Aurélie, m'a pris pour lui, j'endossai ce rôle, pensant que cela m'aiderait dans ma tâche de justicier. Grâce à tout ce qu'Olivier m'avait confié de lui, de son enfance, de sa famille et ses relations, je pouvais aisément jouer le personnage. Les années écoulées justifieraient des erreurs possibles, les blessures de mes mains, expliqueraient éventuellement, une différence d'écriture. Il ne se présenta en réalité aucune difficulté, et me faire passer pour Olivier m'aida effectivement dans mes efforts pour lui faire rendre justice.

La voix de Julian vibra pour conclure :

— J'ai réussi dans ma tâche. L'innocence de mon compagnon de captivité est prouvée, sa réputation est lavée de tout soupçon. J'ai tenu la promesse faite à un mourant qui me ressemblait comme un frère. Sans cela, je n'aurais connu aucune paix.

— Tu peux être fier de toi, dit Séverine.

Puis, parce que, du trouble provoqué en elle par les révélations de Julian un visage émergeait, un ravissant visage d'Eurasienne, aux traits fins, aux yeux légèrement bridés, et aux cheveux de laque noire, Séverine demanda :

— Et... Einko, l'Eurasienne, de qui était-elle ... la fiancée ? d'Olivier ou de toi, Julian ?

Gravement, il affirma :

— A moi, elle ne fut jamais rien. Mais Olivier l'aimait et il l'aurait certainement épousée s'il avait vécu. Je lui ai assuré de quoi vivre ; mes moyens me permettent d'être généreux. Chose curieuse, elle ne fut pas dupe de la substitution : alors que tout le monde s'y était trompé, elle ne m'a pas pris pour Olivier...

Séverine hocha la tête :

— Je crois que grand-mère a eu des doutes.

— Je le crois aussi ! Un jour, au moment de ma blessure, elle est entrée dans ma chambre alors que je venais d'enlever ma veste, et il lui a été possible de constater que je ne portais pas sur l'épaule la tache de café qui marquait celle d'Olivier. Mais elle n'en a rien dit. J'ai la conviction qu'elle m'avait accepté, adopté. Et moi... je l'ai aimée comme ma propre aïeule.

Julian regarda autour de lui. Avec un geste qui englobait la maison, les grands arbres plusieurs fois centenaires, les bosquets où piaillaient les oiseaux près de Cérès et de Pomone, la pelouse traversée par les merles, il avoua :

— Ce pays m'a touché au cœur. C'est la patrie de mon choix. Pour la première fois de ma vie, moi, l'errant, l'oiseau de passage qui jamais ne se posait longtemps quelque part, j'ai eu l'impression de trouver mon havre, mon nid. J'aime cette maison, ce parc, ces lilas et même ces deux stupides statues qui offrent leurs produits d'un air si grognon... Et surtout, je t'aime, toi, Séverine.

— Alors, dit la jeune fille qui tremblait, reste ici, Julian !

Que lui importait qu'il fût Julian ou Olivier ! Bien qu'Olivier eût été l'amour de ses quinze ans, c'était à présent Julian qu'elle aimait, Julian le sensible, le courageux, le généreux. Une merveilleuse sérénité descendit en elle.

— Reste, Julian, répéta-t-elle.

— J'espérais bien que tu me le demanderais ! dit le jeune homme. Juin sera une excellente date pour notre mariage.

Il la prit dans ses bras et les lilas furent les témoins de leur premier baiser d'amour. Puis Julian chuchota d'une voix qu'elle ne lui connaissait pas :

— Ma douce chérie, j'ai tellement hâte de t'avoir toute à moi...

ACHEVÉ D'IMPRIMER
LE 14 AVRIL 1979
SUR LES PRESSES
DE L'IMPRIMERIE JOUVE
A PARIS

Volume déposé dans le 4ᵉ trimestre 1979

Printed in France